S0-BNT-311

THAAD

싸드

초판 1쇄 발행 | 2014년 8월 15일
초판 25쇄 발행 | 2016년 8월 15일

지은이 김진명
발행인 이대식

주간 이지형
책임편집 김화영 **편집** 나은심 손성원
마케팅 김혜진 배성진 박중혁 **관리** 홍필례
디자인 모리스

주소 서울시 종로구 평창길 329(우편번호 110-848)
문의전화 02-394-1037(편집) 02-394-1047(마케팅)
팩스 02-394-1029
전자우편 saeum98@hanmail.net
블로그 blog.naver.com/saeumpub
페이스북 facebook.com/saeumbooks

발행처 (주)새움출판사
출판등록 1998년 8월 28일(제10-1633호)

© 김진명, 2014
ISBN 978-89-93964-84-4 03810

이 책은 저작권법에 따라 보호받는 저작물이므로 무단전재와 무단복제를 금지하며,
이 책 내용의 전부 또는 일부를 이용하려면 반드시 저작권자와 새움출판사의
서면동의를 받아야 합니다.

• 잘못된 책은 바꾸어 드립니다.
• 책값은 뒤표지에 있습니다.

THAAD
싸드

김진명 장편소설

새움

하룻밤 자고 나면 미국에는 적자가, 중국에는 흑자가 쌓인 다. 이미 상품경쟁력을 잃은 미국은 이쑤시개에서부터 유조선 까지 모조리 중국산을 사 쓰고 있다. 지불불능을 막기 위해 미국은 돈을 찍어 간신히 버티고 있지만 힘이 없어진 달러는 미국의 퇴조를 점점 가속화한다.

우리는 이 시점에서 하나의 질문을 던져보지 않을 수 없다.

이대로 미국은 침몰할 것인가?

많은 경제보고서들은 미국은 이미 산업경쟁력을 잃었고 머 잖아 서해 바다에 떨어지는 해와 같은 운명을 맞이할 것이라 결론짓고 있다.

분명 가능성이 큰 예측이다. 경제라는 시각으로만 보았을 때는 미국은 분명 '지는 해'다. 그런데 경제학자들이 간과하고 있는 또 다른 중대한 요소가 있다.

그것은 군사력이다.

중국에 비해 열 배가 넘는 군사력을 가진 미국이 과연 이대 로 중국에 밀려 빈약한 채무국으로 전락하고 말 것인가?

이런 질문을 떠올릴 때면 노벨 경제학상을 받고 미국 정부

에 커다란 영향을 미치고 있는 폴 크루그먼의 단언적 한 마디
가 생각난다.

"미국은 전쟁을 필요로 하는 나라다!"

최근 일본은 미국과의 긴밀한 공조 끝에 헌법 해석을 비틀
어 집단자위권의 활로를 텄는데, 두 나라의 가상적국이 중국
임은 말할 필요도 없다.

아베 정권이 국제사회에서 당당하게 과거사를 부정하고 센
카쿠를 국유화해 중국과 대결할 수 있는 것도 그 근원은 미국
이 일본을 군사적으로 몹시 필요로 하고 있다는 사실에서 찾
을 수 있다.

미국은 최근 들어 미일군사훈련을 강화한다든지 일본군을
해외에서 싸울 수 있게 허용한다든지 태평양 함대에 항공모함
을 한 척 더 배치한다든지 하는 일련의 연속된 움직임으로 중
국을 겨냥한 군사행보를 점점 늘려가고 있다.

모든 사람이 일상에 빠져 눈앞의 세상에만 몰두하고 있을
때 보이지 않는 거대한 충돌의 그림자가 미국과 중국 사이에

드리워지고 있는 것이다.

그런데 아이로니컬하게도 이 충돌의 가장 큰 피해자는 바로 우리 한반도가 될 수밖에 없다.

북한은 장성택을 사형시킬 때 기관총으로 쏘고 화염방사기로 시신을 태웠다. 기관총이나 화염방사기는 군인들이 쓰는 무기로, 그 의미는 '장성택은 군에서 죽였다'는 메시지다. 그나마 정치랄까 외교라는 걸 할 수 있는 장성택을 잃은 북한이 6자회담 등으로 핵과 미사일을 포기할 가능성은 더욱 낮아졌다.

북한의 핵과 미사일이 위험한 이유는 북한이 이걸 사용하는 데서 온다기보다는 이것이 전쟁을 끌어당길 도화선이 된다는 데 있다.

어느 날 미국의 항공모함 전단이 동해와 서해에서 북한을 포위해 미사일 기지에 대대적으로 폭격을 가하고 특전단이 영변을 비롯한 북한의 핵시설에 공수되어 이들을 장악한다면 한국과 중국은 자동적으로 전쟁에 휘말려들 수밖에 없는 것이다.

미국은 언제 군사행동을 취할 수 있을까?

그것은 미국 본토가 중국의 대륙간탄도탄으로부터 안전하다는 판단이 선 시점부터일 것이다. 그렇다면 미국이 북한의 핵과 미사일을 구실로 삼아 구축해 온 미사일방어망(MD)의 현황이 초미의 관심사로 떠오른다.

미국은 그간 중국의 대륙간탄도탄을 태평양상에서 요격할 수 있다고 생각해 왔지만, MD가 완성 단계에 들어선 지금 성공률이 반밖에 안 된다는 사실에 당황하고 있다.

그래서 등장한 것이 바로 싸드(THAAD)의 한국 배치다. 싸드는 중국의 대륙간탄도탄을 근거리에서 감시하는 것을 요체로 하고 있으며, 시스템에 변형을 가하면 요격도 가능한 강력한 방어체계다.

중국은 싸드가 한반도에 배치된다면 대륙간탄도탄이 모두 무용지물이 된다는 위기의식에 사로잡혀 '한국이 싸드를 받는다면 중국이라는 친구를 잃을 것'이라고 강력하게 경고하고 있다.

한국의 입장은 어렵기만 하다. 경제의 현재와 미래를 중국에 걸고 있는 우리 현실에서 싸드를 받아 중국과의 불화를 초래하는 건 어리석은 일이지만, 그렇다고 국가방위를 미국과 같이하고 있는 입장에서 미국의 요구를 거절할 수 있을지, 아니 거절하는 게 옳은지…… 그야말로 어려운 문제다.

받으면 중국을 잃고 안 받으면 미국을 잃을 가능성이 있는 이 시점에서 우리의 선택은 과연 어떠해야 하는지를 나는 독자들과 같이 생각해 보고 싶은 것이다.

2014년 8월, 김진명

0

유령 보고서

C-130 허큘리스가 칠흑 같은 밤을 뚫고 하강하기 시작하자 지상에서 기다리던 자동차 행렬이 천천히 움직이기 시작했다. 50여 대의 허머들은 미국 본토에서 날아온 거대한 수송기가 활주로에 천천히 내려앉은 후 완전히 멈추자 지시받은 대로 라이트를 끈 채 날개 바로 밑에 꼬리를 물고 이 괴물 같은 비행기가 토해낼 사람들을 기다렸다.

이윽고 트랩이 내려지고 발걸음 소리에 이어 어둠 속에서 사람의 모습이 드러나자 허머의 핸들을 잡고 있는 운전병들은 습관적으로 사람의 수를 세기 시작했다. 하나, 둘, 셋. 한참이나 이어질 것 같던 운전병들의 카운트는 그러나 셋에서 멈춰버리고 말았다.

"이게 뭐야!"

어느새 착륙 유도등조차 다 꺼져버린 암흑의 활주로에 소리 없이 발걸음을 디딘 사람들은 고작 셋이 전부였다. 누구보다 놀란 건 양어깨에 여섯 개의 별을 올린 채 자동차 행렬의 맨 앞에 서서 기다리던 주한미8군사령관 샴포우 중장이었다.

"뭐야? 이들이 다란 말인가!"

샴포우 중장은 내린 사람이 모두 셋에 불과하다는 최종 보고를 받자 입가를 실룩거렸다. 분명 뭔가가 잘못되었음에 틀림 없었다. 재정적자에 비상이 걸린 미국 정부는 비용절감을 최 우선적으로 고려하고 있었기에 단순한 병력 이동 시에는 수백 명이라 하더라도 반드시 민항기를 이용토록 하고 있었다.

그런데 지금 이 순간 불과 세 사람이 본토에서부터 군용기 를 타고 온 것이다. 더구나 자신은 '엄중한 군사작전'이라는 상 부의 지시에 따라 밤을 꼬박 새우고 기다리다 시간을 엄수해 나오지 않았던가.

사령관의 눈길이 화물칸으로 향하다 다시 제자리로 돌아왔 다. 화물칸에 무얼 실었다 하더라도 이 상황은 납득이 안 된다 는 걸 깨달은 때문이었다. 병력 수송용 비행기는 화물칸이 작 아 무얼 싣더라도 그 정도 짐으로 태평양을 건넌다는 건 생각 할 수 없는 일이었다.

내릴 건 다 내렸다는 신호와 함께 문이 닫혀버리는 허큘리스를 멍하니 보고 있던 샴포우는 분노한 음성으로 곁의 부관에게 소리쳤다.

"이게 무슨 장난이야?"

"저도 도대체 이해할 수 없습니다, 사령관님!"

"날 놀리는 건가!"

그의 귓전에 이틀 전 한미연합사령관 스캐퍼로티 대장이 속삭이던 말이 맴돌았다.

"본토에서 허큘리스로 극비리에 병력이 도착할 거요. 이들의 도착은 초특급 비밀이니, 반드시 장군이 직접 현장에 나가 보안 관리를 하시오."

스캐퍼로티 대장의 극비 지령은 거기까지였고, 얼마의 병력이 도착하는지, 그들의 병과가 무엇인지, 어떤 장비를 가지고 오는지에 대해서는 어떤 세부적 정보도 없었다. 단지 허큘리스라는 거대한 수송기로 이동한다는 사실이 병력의 규모를 짐작할 수 있는 유일한 정보였기 때문에, 샴포우는 거기에 맞춰 50여 대의 허머를 준비했던 것이다. 그런데 지금 이 거대한 수송기는 단지 세 사람의 군인만을 토해놓고 문을 닫아버렸다.

"뭔가 큰 착오가 있음에 틀림없습니다."

20년이 넘도록 군에 복무해 온 부관 역시 어둠 속에서 눈동자를 굴리며 이 어처구니없는 상황을 이해하지 못해 당황해하고 있었다. 샴포우 중장은 도저히 이해할 수 없는 이 상황을 풀어보고자 의혹의 눈길을 세 군인에게로 돌렸다.

"음!"

세 사람의 모습이 눈길에 잡히는 순간, 샴포우 중장의 입에서는 다시 한 번 신음이 새어나왔다. 어둠 속에서 모습을 드러낸 세 사람은 군복도 아닌 청바지에 허연 셔츠 차림으로, 유명 관광지의 공항에나 내린 듯 잔뜩 흐트러진 자세로 자신을 향해 어슬렁어슬렁 걸어오고 있었다.

군기나 절도 있는 동작이라고는 티끌만큼도 찾아볼 수 없는 이들의 모습에서 샴포우 중장은 이내 이들이 군인이 아닌 민간인이란 걸 알아차릴 수 있었다.

그러자 이 상황은 더더욱 혼란스럽게 다가왔다. 대형 수송기가 군인도 아닌 세 사람의 민간인을 싣고 태평양을 건너왔다는 이 이해하기 힘든 사실에 샴포우 중장은 다시 눈살을 찌푸렸다. 하지만 오랜 세월 군에 몸담아온 중장은 자신이 잘 모르는 상황에 대해서는 섣불리 감정 표현을 하지 않는 신중함이 몸에 배어 있었다.

샴포우는 자신에 대한 어떠한 경계도 두려움도 없이 관광객처럼 편한 걸음으로 자신의 앞까지 걸어온 세 사람을 향해 손을 내밀었다.

"사령관이오."

세 사람은 특별한 주의를 보이지 않은 채 묵묵히 샴포우의 손을 맞잡았다. 민간인들이라 경례를 하지 않는 건 이해할 수 있었지만, 이들은 자신들의 신분이 무엇인지, 어떤 일을 맡고 있는지 일언반구도 없었다. 심지어는 자신들의 이름조차 밝히지 않았다.

인내심의 한계에 다다른 샴포우가 분노의 일성을 내지르려는 순간, 마침 걸려온 전화 통화를 끝낸 부관이 손을 들어 어둠 속을 가리켰다. 검은 승용차 한 대가 그림자처럼 다가오고 있었다.

"사령관님, 저걸 태우랍니다."

날이 밝자 샴포우 중장은 즉시 한미연합사령부로 스캐퍼로티 대장을 찾아갔다.

"사령관님, 오늘 새벽에 도착한 수송기에 단지 세 사람만이 타고 온 사실을 아십니까?"

"알고 있소."

"그들이 민간인인 것도요?"

"그렇소."

"도대체 그들이 누굽니까? 어째서 이런 황당한 일이 벌어진 겁니까?"

스캐퍼로티는 대답을 하지 않았다. 그러자 샴포우는 더욱 분노가 치밀었다. 자신의 직책이 주한미8군사령관이란 건 한국의 미군 시설에서 일어나는 모든 상황을 다 알고 관리해야 한다는 의미였고, 이제껏 어떤 누구도 그 사실을 망각하거나 자신을 무시하지 않았다.

그러나 지금 스캐퍼로티는 노골적으로 자신을 업신여기고 있었다.

"본토 자식들! 나를 개떡으로 알아도 유분수지. 무슨 수작을 부리는진 몰라도 허큘리스에 세 사람을 태워 태평양을 건넌다는 게 말이나 됩니까? 저는 반드시 이걸 문제 삼겠습니다. 참모총장은 물론 합참의장과 국방장관께도 보고하겠습니다."

스캐퍼로티는 샴포우가 본토를 들먹이지만 실제로는 자신에게 욕을 하는 것이라는 사실을 모르진 않을 텐데도 계속 말이 없었다. 샴포우의 입에서 마침내 욕설이 튀어나왔다.

"개자식들! 어슬렁거리며 걷는 거며 이름 한 자도 안 밝히는 꼬락서니로 봐서 갈 때도 군용기를 내달라 그럴 겁니다. 그러면 주둥아리를 비틀어버리겠어요. 워싱턴에 개줄이라도 한 가닥씩 잡고 있는 놈들이겠지만, 워싱턴 놈들까지 개망신을 시켜버릴 겁니다. 어떤 놈이 도사리고 있는지 몰라도!"

샴포우의 분노한 모습을 한동안 말없이 지켜보던 스캐퍼로티는 천천히 고개를 가로저었다. 마치 당신의 생각은 맞지 않소, 라고 말하는 것 같았다.

"누굽니까? 도대체 그 미친 자식이! 겨우 민간인 셋 태워 허큘리스를 태평양 건너 보낸 놈이!"

스캐퍼로티의 표정이 굳어졌다. 그는 한동안 생각에 잠겨 있다 이윽고 눈길을 창밖으로 던지며 스스로에게 다짐하듯 나직한 목소리를 입속으로 냈다.

"태프트!"

군용기를 타고 극비리에 한반도로 날아든 이 세 사내에 의해 만들어진 보고서는 불과 열두 시간 만에 워싱턴으로 날아가기 시작했다.

1

구직난

"인상도 좋고 다 좋은데 전문지식에 신뢰가 안 간다는 게 문제예요."

면접관은 확고한 표정을 지으며 고개를 좌우로 가로저었다.

"네? 전문지식에요?"

"그래요. 혼자 응시하셨다면 이까짓 6급 상당 공무원이야 얼마든지 붙여드리겠지만 지금 변호사들이 모두 세 명 왔어요. 자연히 상대평가를 할 수밖에 없고, 미안하지만 최어민 씨는 그중 전문지식 평가가 가장 낮아요. 인상은 좋은데 말이야."

어민은 어쩔 수 없이 아랫입술을 깨물며 면접관실을 나올 수밖에 없었다. 처음 면접관실에 들어섰을 때의 초조함이 이제는 깊이를 알 수 없는 수치심으로 변해 어민의 마음속에서 마

THAAD

구 불타올랐다.

변호사로서의 모든 자존심을 접은 채 창피를 무릅쓰고 응시한 문체부의 정식 6급 공무원도 아닌 6급 '상당'이라는 모호한 자리에도 떨어졌다는 사실은 이제까지의 구직 실패와는 비교도 안 되는 거대한 쓰나미가 되어 어민을 마구 흔들었다.

"귀농이라도 할까."

어민의 입술에서는 자신도 모르게 한숨 섞인 말이 튀어나왔다. 이제는 더 이상 이상할 것도 없는 말이었다. 이미 100번 가까이 취직에 실패하는 동안 변호사자격증이란 고까운 자존심이나 키우는 애물단지에 다름 아니었다.

"그럴 땅도 없잖아."

언제나 그랬듯이 자신이 변호사라는 사실은 오늘도 한층 더 어민을 쓰리고 아프게 할퀴어왔다. 어민은 어깨를 축 늘어뜨린 채 현관을 걸어나왔다. 예전에는 오히려 합격자보다 더욱 당당하게 허리를 쭉 편 채 바쁜 걸음으로 면접관 앞을 떠나오곤 했지만 이제는 더 이상 그런 위선도 허세도 부릴 힘이 없었다.

거리에 나서면 빨리 아무 택시나 잡아타고 그곳을 떠나려고 했던 어민은 다음 순간 주춤하며 걸음을 멈췄다. 무의식중에 바지 주머니로 들어간 손길이 힘을 잃고 축 처지는 게 느껴지자 눈앞의 택시로 향하던 어민의 발걸음이 방향을 잃었다. 1천

원짜리 몇 장이 고작인 서글픈 현실이 온몸을 휘감아오자 한참 제자리에 서 있던 어민의 눈길이 광화문 언저리의 높은 빌딩 중 하나로 힘없이 향했다.

"어느 변호사님 찾아오셨어요?"

어민이 풀죽은 목소리로 로펌에 근무하는 친구 이름을 대자 미모의 안내원은 엘리베이터를 가리켰다.

"12층입니다."

어민이 탄 엘리베이터가 막 떠나려는 순간 안내원 아가씨가 접수대에서 일어나 급한 동작으로 버튼을 눌러 엘리베이터를 잡았다. 짧지 않은 시간을 멈추어 서 있던 엘리베이터는 검정 양복을 입고 변호사 가방을 든 두 젊은이가 성큼성큼 걸어와 엘리베이터 안으로 몸을 밀어넣은 후에야 안내원의 손을 떠나 움직이기 시작했다.

"이번에 증권사 인수합병 건이 몇 개 나온다는데 최소한 하나는 우리가 딸 거래."

"쉽지 않을 텐데."

"대표가 6개월 전부터 작업했다더군. 한 건 수익이 최소 100억이야. 우리 일인당 보너스만 5천만 원 넘을 거라던데."

목소리는 낮았으나 거침없는 젊은이들의 대화가 귓전에 스며드는 순간 어민은 입술을 잘근잘근 씹으며 눈을 감아버렸

다. 변호사······ 이들이 변호사라는 사실에 이어 자신도 변호
사라는 사실이 큰 자괴감을 불러일으켰다.

"안녕하세요, 좀 기다리시면 변호사님 오실 거예요. 차는 뭘
로 드릴까요?"

12층에 내리자 몇 번 본 적이 있는 비서가 회의실로 안내했
다. 어민이 차를 가지고 온 비서에게 웃는 낯으로 어색하게 아
는 체를 하려 했으나 비서는 기계적인 동작만 남긴 채 획 돌아
서 가버렸다.

"미안해, 좀 늦었어."

한 시간이 넘게 지나서야 나타난 친구는 상투적인 말을 툭
던져놓고는 별로 미안하지 않은 표정으로 어민의 맞은편에 털
썩 앉았다.

"바쁜 모양이구나."

"하루종일 회의야. 근데 웬일이야?"

오랜만에 만난 친구의 목소리는 건조하기만 했다.

"응, 저기."

언제나 꺼내기 어려운 말이었지만 오늘따라 더욱 말이 나오
지 않아 어민은 더듬거렸다.

"뭐야? 빨리 말해. 나 곧 회의에 다시 들어가야 해. 5분 쉬는
거야."

"나, 돈 좀······."

순간 굳어지는 친구의 표정이 어민의 눈길에 잡혔다. 어민은 움찔했지만 기왕 뱉은 말이었기에 입속의 말을 마저 내보냈다.

"……빌려줘. 최대한 빨리 갚을게."

친구는 어민을 빤히 쳐다보며 묵묵히 앉아 있다 갑자기 자리에서 벌떡 일어나서는 바지 뒷주머니에서 지갑을 꺼냈다. 이미 체면도 위신도 다 잃고 그저 벌레처럼 숨만 쉬고 있는 어민의 앞에 친구는 5만 원짜리 열 장을 세어서는 거의 던졌다.

"고맙다."

친구의 예상치 못한 거친 행동에 흠칫 놀란 어민은 잠시 망설였지만 이내 주워 넣지 않을 도리가 없다는 걸 깨닫고는 천천히 팔을 뻗어 돈을 집어들었다. 어민의 이런 모습을 차가운 눈길로 쏘아보던 친구는 문을 열고 나가려다 휙 돌아서 싸늘한 한 마디를 뱉어냈다.

"너, 이제 안 봤으면 좋겠다."

"……."

"이건 네게 도움이 안 돼. 그리고 어차피 너와 나는 갈 길이 달라."

돈을 집어든 채 엉거주춤하고 있는 어민을 향해 친구는 다발총처럼 말을 쏟아냈다.

"이 얘기만큼은 안 하려고 했는데, 너 취직 안 되는 건 당연한 일이야. 너는 한 마디로 말하자면, 변호사 자격이 없어."

"글쎄…… 그런가?"

"네가 어떻게 변호사 된 줄 아니? 네가 어떻게 로스쿨을 낙제 안 하고 다녔는지 알아? 어떻게 변호사시험 합격했는지 아냐고?"

"……."

"만약 진짜 네 실력으로 변호사가 됐다고 생각한다면 그건 큰 오산이야."

"무슨 소리야?"

"후후, 비밀 하나 가르쳐줄까?"

"비밀?"

"그래, 네가 변호사 될 수 있었던 비밀 말이야."

어민은 부아가 치밀어올랐다. 돈을 빌려주기 싫으면 안 빌려주면 그만이고 빌려줬으면 그걸로 끝이지 변호사가 된 비밀 어쩌고 하는 게 웃긴다는 생각이 들었다. 그러나 어민은 화를 참고 웃으며 대답했다.

"너나 나나 국가가 주관하는 자격시험 쳐서 통과했는데 거기에 무슨 비밀이 있겠어."

"후후!"

친구는 잠시 의미를 알 수 없는 미소를 지어 보이고는 엉뚱한 얘기를 꺼냈다.

"너희 아버지야."

"……?"

"너희 아버지가 널 시험에 통과시킨 거야. 그 변호사자격시험을 말이야."

"……?"

어민은 뚱딴지같은 친구의 말을 어떻게 해석해야 할지 몰라 말없이 친구의 입술에 시선을 고정시켰다.

"너희 아버지가 우리 세 친구에게 돈을 주셨지. 애정이 듬뿍 담긴 돈을 말이야."

"무슨 말이야? 나는 컨닝한 적 없어. 내 실력으로 정정당당하게 시험을 쳐서 붙었어. 너희들과 같이."

"물론! 네가 컨닝했다는 건 아냐. 하지만 네가 고시를 세 번인가 네 번 떨어진 끝에 로스쿨에 들어왔을 때 너희 아버지가 찾아오셨었지. 물론 네가 모르게 말이야."

"뭐라고?"

"그곳에서 가장 성적이 좋았던 우리 세 친구에게 널 부탁하셨던 거야. 한 친구당 5천만 원씩이나 주면서 말이지."

"……."

"밥을 먹든 강의를 듣든 술을 마시든 항상 너와 같이 다녀달라고. 그건 부탁이라는 이름의 계약이었어. 우리는 일인당 5천만 원이라는 거금을 포기할 이유가 없었지. 나중에 돈을 받을 때는 실제 계약서도 썼어. 그걸 보면 너희 아버지는 정말 훌륭하고 예지력이 있는 분이었어. 널 시험에 통과시키기 위해 그런 생각을 하셨고 그걸 행동에 옮기셨던 거야."

"그게 무슨 소리야?"

"가장 공부를 잘하는 우리와 하루 24시간을 같이하면 혹여 시험에 붙지 않을까 기대하셨고, 그 기대는 정확히 맞아떨어졌어. 법학이라는 어려운 공부와는 너무도 어울리지 않는 네가 우리와 하루 24시간 1년 365일을 노상 같이 어울려 다닌 덕에 얼떨결에 자격시험에 붙었으니까. 설마 '진정부작위범'과 '부진정부작위범'도 구분 못해 온 강의실을 웃음바다로 만들었던 네가 자력으로 대한민국의 변호사가 될 수 있었으리라고 생각했던 건 아니겠지?"

어민의 뇌리에 지난날의 기억들이 파노라마처럼 스쳤다. 어쩐 일인지 로스쿨에서 가장 공부를 잘하던 세 친구는 아무런 이유도 없이 법학 공부와는 정말 거리가 멀었던 자신을 밀고 끌어주었고, 이들과 숨쉬는 것까지 같이한 결과 합격했다는 것은 부인할 수 없는 사실이었다.

"고맙지만 동시에 실망스럽기도 하구나. 가장 가까운 줄 알았던 너희들이 돈에 이끌려 나를 가까이했다니."

"어찌 되었든 이제 그 계약은 끝났어. 그러니 더 이상 찾아오지 마."

"내가 푼돈 좀 빌리는 게 그렇게나 싫으냐?"

"돈?"

친구는 비스듬히 돌렸던 몸을 똑바로 한 채 어민을 노려보며 거친 목소리를 쏟아냈다.

"그래, 돈도 문제지. 지난 세월 네게 건너간 돈도 적은 액수는 아닐 거야. 하지만 그 정도는 줄 수도 있어. 우린 너희 아버지에게 5천만 원씩을 받았으니까. 하지만 문제는 돈이 아니야. 너, 네가 싫은 거야. 솔직히 네가 우리 친구라는 사실이 싫어. 우린 이미 대한민국 법조계에서 가장 잘나가는 청년들이야. 가장 전도가 양양한 법조인들이란 말이야. 그런데 그걸 네가 다 구기고 있어. 우리 앞에 붙곤 하는 '최고의 엘리트'라는 수식어가 너 때문에 웃긴 꼴이 되곤 한단 말이야, 알겠니?"

"그래?"

"이젠 좀 비켜줘. 제발 좀 어울리지 말자. 너희 아버지와의 계약은 이미 끝난 지 오래됐어."

친구는 마지막 말을 내뱉고는 그대로 나가버렸고 돈을 쥐고 있던 어민의 손가락은 스르르 풀리고 있었다.

"아, 변호사님이 웬 술을 그리 마셔! 이젠 그만 좀 일어나요."

"흐흐흑, 아버지!"

벌써 소주를 네 병째 비우고 있는 어민의 입에서는 간간이 울음과 뒤섞인 한스러운 목소리가 새어나왔고 이를 측은히 보고 있던 식당 주인아주머니는 급기야 끼어들어 어민을 말렸다.

"그만 마셔요. 왜, 아버지께 무슨 일이라도 있수? 어디 편찮으슈?"

거듭 아버지를 부르던 어민은 정신이 드는지 고개를 들고 주인아주머니를 바라보았다.

"음, 내가 이러면 안 되지. 아버지께 이런 모습을 보여드려선 안 돼."

취한 중에도 자신을 추스르려던 어민이었지만 마음대로 되지 않는지 연신 아버지를 불러댔다.

"왜 그래요? 점잖은 변호사님이 오늘은 무슨 일이 있었나. 아버님이 보고 싶어서 그래요? 아버님이 어디 계세요?"

"후후. 어디 계시냐고? 우리 아버진 돌아가셨어요. 이 못난 아들 위해 애만 쓰시다 돌아가셨다니까요."

다시 술잔을 털어넣으려는 어민을 제지하려 아주머니는 자꾸 말을 시켰다.

"돌아가신 아버지가 보고 싶으신 게로구나. 오늘 갑자기 생각이 나는 거야. 에휴, 그러니 나도 내 아버지 생각난다. 어디, 나도 한 잔 줘요."

아주머니는 얼른 어민의 술잔을 들어 자신의 입으로 가져갔다.

"우리 아버지는요, 나밖에 모르시는 분이었어요……"

"그래, 그러니 아버지 얘기 좀 해봐요. 술은 이제 그만 마시고. 손님도 없는데 어디 얘기 한번 들어보자."

원룸에 살고 있는 어민은 평소 가까이 있는 이 식당에서 저녁을 먹기도 하고 늦은 시간에는 안주를 끼니 삼아 소주를 마시기도 했다. 때없이 혼자 오는 이 외로운 아들뻘 단골손님을 오십대 후반의 주인아주머니는 언제나 친절하게 맞아주었고 때로는 특별한 반찬이나 안주를 서비스로 내놓기도 해, 두 사람은 어느 정도 정이 들어 있었다.

"아버지는 평생 법무사사무실에 다닌 분이에요. 법무사 사무장. 한마디로 가난한 월급쟁이였죠. 한눈팔 줄 모르고 오직 봉급만 받아온 정직한 분이었어요."

다시 술잔에 술을 따르려는 어민을 아주머니가 제지했다.

"얘기를 해봐요. 얘기 다 하고 한 잔 해요. 난 오늘 변호사님 얘기 듣고 싶다니까."

어민은 잠시 눈을 들어 아주머니를 응시했다. 취한 자신을 말리는 아주머니의 얼굴 위로 아버지의 얼굴이 겹쳐지는 것 같아 어민은 취한 중에도 주섬주섬 이야기를 이어갔다.

어민의 아버지는 충청북도 제천법원 앞의 법무사사무실에서 평생을 근무했다. 그의 아내는 첫아들을 낳다 과다출혈로 그만 세상을 하직하고 말았는데, 워낙 아내를 사랑했던 그는

THAAD

아내의 무덤 앞에서 평생 재혼하지 않고 아들을 혼자 키우겠다 맹세했고, 한평생 그 맹세를 지켜냈다.

"여보, 우리 어민이를 기필코 변호사로 만들 테니 지켜봐요."

변호사를 이 세상 최고의 직업으로 알았던 그는 외아들을 변호사로 만들기 위해 유치원 시절부터 그야말로 할 수 있는 모든 걸 다 했다.

그러나 불행히도 어민은 이런 아빠의 뜻에 따라주지 않았다. 그는 공부보다는 노는 걸 훨씬 좋아했고, 아빠의 눈물을 보고 공부를 해야겠다고 결심했을 때도 성적이 만족스럽게 나와준 적은 한 번도 없었다.

사법고시 합격이란 영원히 이루어질 수 없는 꿈이라는 걸 깨달았을 때 대성통곡했던 아버지는 로스쿨이란 게 생기자 만세를 불렀다. 그는 어민에게 꿇어앉아 눈물을 흘리며 빌었고, 아들을 끝내 로스쿨에 들여보내는 데 성공했다.

그런 다음 그는 평생 모은 재산으로 아들을 공부시키는 건물론 퇴직금까지 가불받아 1억 5천만 원을 만들어 학교를 찾아갔다.

"어민이와 숨쉬는 것까지 똑같이 해주어!"

그는 로스쿨에서 가장 공부를 잘하는 세 학생에게 각각 5천만 원씩을 주며 졸업할 때까지 아들과 모든 걸 같이하겠다는 계약을 체결했는데, 그의 이런 전략은 훌륭하게 맞아떨어졌다.

어민은 놀랍게도 졸업과 동시에 변호사자격시험을 통과한 것이다.

하지만 어민이 합격의 기쁨을 나누려 제천으로 내려왔을 때 아버지는 이미 이 세상 사람이 아니었다. 어민이 시험 준비에 몰두하는 걸 방해하지 않으려 알리지 못하게 했지만, 그는 어민이 변호사자격시험을 칠 무렵 폐암으로 눈을 감고 말았던 것이었다.

평생 모은 돈을 모두 아들에게 쏟아부은 아버지는 물려줄 돈은 한 푼도 남기지 못했지만, 변호사라는 자격을 물려준 것이었다.

"그런데 나는 변호사가 된 지 3년이 넘었지만 아직 제대로 취직조차 못하고 있어요. 노력이요? 그들이 했던 것보다 열 배는 더 했어요. 이 나라에 나보다 법전을 더 많이 읽은 사람은 하나도 없을 거예요. 자격시험에 붙고는 아무도 다시 들여다보지 않는 그 법전, 나는 변호사가 되고서도 백번 천번 읽었어요. 하지만 아무 소용도 없었어요. 아무도 알아주지 않았어요. 로스쿨에 다니던 그때, 아니 학창시절에 이미 모든 것은 끝나 있었어요. 나는 이미 돌이킬 수 없는 삼류고, 삼류는 취직할 수 없어요. 그건 무슨 수를 써도 바뀌지 않아요."

어민의 절망 어린 호소에 식당 아주머니는 자신의 일인 양

이마를 잔뜩 찡그리고 있다가 답답하다는 듯 거친 동작으로 술을 따라 마셨다.

"에이, 이놈의 세상이 어떻게 되려고 젊은 사람들은 죄다 취직 때문에 이렇게 걱정을 해야 한단 말이냐! 난 변호사는 나은 줄 알았더니 그것도 아니네. 우리 때는 대학은 말할 것도 없고 고등학교만 나와도 일할 데가 쌔고 쌨었는데. 자, 한 잔 마셔요. 속이 상할 만도 하구만."

측은한 눈길로 어민에게 한 잔 따라준 아주머니는 자신도 잔을 가져와 스스로 따라 마시고는 평소답지 않게 걸쭉한 전라도 사투리를 뽑아냈다.

"나라꼴이 이 지경이 되야서야 차라리 망해부러야지. 아 젊은 사람들이 취직이 안 되믄 장사도 혀고 해야는디, 아 이 땅값에 이 임대료에 꼼짝이나 허것서. 대통령이란 인간이 이사를 스무 번이나 다니믄서 부동산 투기를 해처먹어 뻔지니 그 피해가 고스란히 젊은 아들한테 가는 거 아녀!"

그러나 다음 순간 아주머니는 뭔가 생각난 듯 눈을 껌뻑거렸다.

"가만, 여기 낮에 와서 소주 잡숫는 양반, 그 양반이 벤호사여. 전에 누군가 같이 왔는디 그 양반을 깍듯이 변호사님, 변호사님 부르두마. 하고 다니는 행색이나 노상 낮술이나 혼자 푸는 꼬락서니를 봐서는 영락없는 실업잔 줄 알았는디 말이여. 그 양반한테 취직자리 부탁해 봐야것어. 아, 사람 쓸 여유 없다 하믄 사무실에 의자만 하나 놔달라 그러지 머. 그렇게 비비다 보믄 나중에사 정이 들어서라도 못 내친다니께."

2

김윤후 변호사

식당 아주머니는 거짓말처럼 쉽게 어민을 취직시켰다.

"어서 빨리 와보더라고!"

식당 아주머니의 성화에 어민이 밤새 게임으로 벌게진 눈을 억지로 문지르고 서둘러 쫓아간 식당에는 오십대 중반은 되어 보이는 한 사람이 소주 한 병을 앞에 놓은 채 곰탕을 먹고 있었다. 주인아주머니는 어민이 들어서자 얼른 옆으로 다가와 소곤거렸다.

"특곰탕에 고기도 몇 곱 넣어주고 아양 떨어가며 사정얘기 했더니 좋으시대. 취직이 되었단 말이여! 어여 인사드리더라고!"

아주머니에게 팔을 이끌린 어민은 곰탕국물을 맛있게 떠먹고는 막 소주잔을 기울이는 오십대 사내의 앞에 떠밀려 앉혀졌다. 아주머니는 아예 옆에 자리를 잡고 앉아 막무가내로 들이밀었다.

"변호사님, 말씀드렸던 그 사람인디요."

낡은 외투나 며칠은 깎지 않은 수염이 결코 변호사로는 보이지 않는 오십대였으나 어민은 평생 그리 높은 사람은 처음 본다는 듯 허리를 깊이 숙여 인사를 올렸다.

"뵙게 되어 영광입니다. 최어민이라고 합니다."

소주잔을 막 내려놓던 오십대는 어민을 보는 듯 마는 듯 곰탕그릇을 들고 국물을 후루룩 소리 나게 마셨다. 무안해하는 어민을 향해 아주머니가 위로하듯 말을 보탰다.

"원래 말이 없으시고 좀 괴팍하셔. 하지만 분명 내일부터 사무실에 나오라 그러셨응게 취직이 된 건 확실혀요. 아따 변호사님, 살갑게 한마디 해주셔여. 젊은 사람이 무안해하니께."

사내는 힐끗 어민을 바라보더니 앞에 놓인 잔을 집어들어 술을 채웠다. 어민은 얼른 손을 뻗어 잔을 받아들었지만 술 한 잔 건넨 것만으로는 자신이 확실히 취직이 되었는지 가늠이 되지 않아 잔을 든 채 엉거주춤 망설였다.

"어여 한 잔 하드라고!"

아주머니의 성화에 고개를 돌리고 한 잔 들이켜고 난 어민은 다음 순간 눈앞이 휑한 걸 느꼈다. 사내가 어느샌가 일어나

THAAD

밖으로 나가고 있는 것이었다. 당황한 어민의 귀에 만 원짜리 한 장을 손에 든 식당 아주머니의 전라도 사투리가 꽂혀 들어왔다.

"걱정 말더라고. 명함을 주고 가셨응게. 김, 윤, 후 변호사시구마. 성함이 김윤후야. 여기 사무실 주소 있응게 내일 이리로 출근하믄 될 참이여."

어민은 아주머니가 건네준 명함을 받아들어 자세히 들여다보았다. 과연 명함에는 '변호사'라는 직함이 찍혀 있었다. 그것을 보는 순간 어민은 비로소 마음이 놓였다. 실직하고 낮술에 빠져 있는 낙오자, 그 이상으로도 이하로도 보이지 않던 오십대 사내는 과연 변호사가 맞긴 맞는 것이었다.

서초동 법조빌리지

변호사라는 직함 못지않게 어민의 눈길을 확 끌어당긴 건 바로 사무실 주소였다. 서초동 법조빌리지라면 바로 대법원 앞의 그 변호사사무실로만 꽉 들어차 있는 건물로, 모든 변호사들이 가장 탐내는 위치였다. 법조빌리지라는 사무실 주소는 바로 이 사무실의 주인은 서울에서 가장 잘나가는 변호사 중의 한 사람이라는 확고부동한 증명서에 다름 아니었다.

"이럴 수가!"

어민은 갑자기 닥쳐든 운명에 탄복했다. 일개 싸구려 식당의 아주머니가 어떻게 이런 행운을 가져다줄 수 있단 말인가. 어민은 마구 고함치고 싶은 걸 가까스로 참았다.

다음 날 아침 9시 정각, 정장을 차려입고 법조빌리지의 사무실을 찾아간 어민은 당황하지 않을 수 없었다. 분명 명함상의 주소지인 305호 사무실은 존재하고 있었으나 문이 열려 있지 않았다.

건물 내의 다른 모든 사무실은 하나 빠짐없이 이미 직원들이 분주히 움직이며 업무에 들어가 있었고, 이르다면 이른 시각이라 일부 사무실은 아직 청소를 하고 있긴 했지만, 아직 문이 열리지 않은 사무실은 없었다. 하지만 김윤후 변호사의 이름이 찍힌 305호 사무실만은 굳게 닫혀 있는 것이었다.

어민은 닫힌 문 앞에서 우두커니 서 있기가 멋쩍어 밖으로 나왔다가 10분 단위로 올라가 보았으나, 문은 10시가 넘도록 열릴 줄을 몰랐다. 10시 반이 넘어서자 벌써 열 번이나 오르내린 어민은 여전히 굳게 닫힌 문 앞에서 휴대폰을 꺼냈다. 명함상의 김윤후 변호사 번호를 누르던 어민의 손가락은 마지막 숫자를 누르기 직전 멈추고 말았다. 어제 식당에서 본 그 얼굴, 아무 말 없이 곰탕국물만 떠먹던 그 무뚝뚝한 얼굴에다 대고 섣불리 전화를 거는 것은 아무래도 망설여지는 일이었다.

"누구세요?"

어민은 등 뒤에서 들려온 목소리에 놀라 고개를 돌렸다. 이십대 후반쯤으로 보이는 한 여자가 또렷한 눈길로 어민을 쳐다보고 서 있었다. 그 눈길은 마치 여기는 외부인이 찾아올 곳이 아닌데 당신은 도대체 여기서 뭘 하고 있느냐고 추궁하는 것 같았다.

"김윤후 변호사님 사무실이 맞습니까?"

"누구세요?"

여자는 가타부타 말없이 어민이 누군지만 알면 된다는 듯 캐묻는 조로 거듭 물어왔다.

"최어민 변호사예요."

이미 열 번이나 계단을 오르내린 어민은 잔뜩 주눅이 들었지만 사무원으로 보이는 여자 앞에서 신속히 위신을 회복하려는 듯 '변호사'라는 직함에 힘을 주었다.

"무슨 일로 오셨냐니까요?"

"첫 출근길이에요."

"뭐라고요? 출근?"

여자는 갑자기 깔깔거리기 시작했다.

"호호호, 출근하셨다고요?"

"네, 날 채용하셨어요."

"누가 누구를요?"

"……."

"대답해 보세요. 누가 채용했어요?"

"김윤후 변호사님이요. 이 사무실 대표 김윤후 변호사님 말입니다."

여자는 어이없다는 듯 다그쳐왔다.

"김 변호사님이…… 아까 누구라 그러셨죠? 최……?"

"최어민 변호사요."

"최 변호사님을요?"

"네."

어민은 왠지 이 상황이 마뜩지는 않았지만 더욱 힘주어 대답했다.

"호호호호!"

여자는 이제 노골적으로 웃음을 터뜨리더니 어민이 꽉 잡아 쥐고 있는 변호사 가방으로 눈길을 돌렸다. 그 눈길은 당신이 변호사가 맞기는 맞는 거요, 라고 묻는 것 같아 어민은 약간 기분이 상했다. 처음부터 자신을 얕잡아보는 듯한 물음부터 어딘지 우습다는 듯한 눈길에 이르기까지 하나 마음에 드는 게 없었다.

"그런데 누군지 물어도 될까요?"

"홍변이에요."

"네?"

"홍미진 변호사라고요."

뜻밖에도 자신을 변호사라고 밝힌 젊은 여자는 핸드백에서 열쇠를 꺼내 사무실 문을 열었다.

"어쨌든 들어오세요."

여자를 따라 들어간 어민의 눈길에 사무실 광경이 들어왔다. 코너에 위치해서 그런지 사무실은 양쪽이 다 큰 유리로 트여 있어 같은 크기의 다른 사무실보다 훨씬 넓어 보였다. 중앙에 큰 책상이 하나 있고, 거기에는 '변호사 홍미진'이라는 이름이 윤이 나는 검은 칠기 명패 표면에 자기 글씨로 새겨져 있었다. 순간 어민은 적잖이 당황했다. 주변에 작은 책상이 세 개 있긴 했지만 사무장이나 사무원이 쓸 용도로 보였고, 자신을 채용한 김윤후 변호사의 명패는 어디에도 보이지 않았다.

"앉아요."

자신의 명패가 놓인 큰 책상 옆의 소파를 권한 홍미진 변호사는 여전히 약간 비웃는 태가 가시지 않은 표정으로 물었다.

"분명 김 변호사님이 사무실로 출근하라 그랬어요?"

"네, 틀림없습니다."

다시 한 번 중앙 큰 책상 위의 명패를 확인한 어민의 대답이 공손해졌다.

"그래요? 그럴 리가…… 어떤 조건이에요?"

"……."

어민은 말문이 막히고 말았다. 채용에 있어 가장 중요하고 기본적인 내용, 즉 월급, 아니 연봉이라고 해도 좋을 바로 그 숫자가 자신의 채용조건에는 없는 것이었다. 변호사가 된 후 3년간이나 직장을 잡지 못해 헤매던 자신에게 김윤후 변호사의 등장은 그 자체로 기적이었고 행운일 뿐이었다. 또한 어제 상황에서 월급이 얼마인지 근무조건은 어떤지를 물어볼 기회도 없었고, 그런 걸 얘기할 장소도 아니었다. 자신은 그저 식당 아주머니의 취직이 되었다는 선언 한 마디에 오늘 여기에 나온 것이었다.

"간단히 정할 내용이 아니라 아직."

"호호, 보수도 정하지 않고 채용이 되었다고요?"

"오늘 나오시면 말씀을 나눌 것 같긴 합니다만."

"그래요?"

믿을 수 없다는 표정으로 대화를 마친 홍미진이라는 젊은 여자는 책상 위에 서류뭉치를 펼쳐놓으며 자신의 일로 빠져들어 갔다. 어민은 당당하게 소파에 앉아 김윤후 변호사가 오기를 기다렸지만 홍미진과의 대화에서 느꼈던 불안감은 시간이 갈수록 증폭되어 갔다.

'이상하다. 어째서 사무실에 그의 명패가 없지? 그렇다면 왜 그의 이름이 밖에 걸려 있단 말인가? 그리고 저 홍미진 변호사는 뭐지? 마치 주인처럼 이 사무실을 쓰고 있지 않은가. 그리고 왜 시종일관 나의 취직을 부정적으로 생각하는 표정이지? 그럴 리가 없다는 저 조롱하는 듯한 말투는 뭐란 말인가? 그러고 보니 그 김윤후 변호사가 좀 이상하기는 했어. 아니, 좀이 아니라 정말 이상한 사람이야. 그 상실업자 같은 행색도 그렇고 낮부터 소주를 한 병 다 마시는 것도 그렇고. 그럼 식당 아주머니가 취직되었다고 한 게 거짓말이었단 얘긴가? 아니, 분명 진심으로 기뻐해 주었는데.'

시간은 계속 흘러 점심시간이 한참 지났지만 홍미진은 일어날 생각도 않고 서류뭉치에만 빠져 있었다. 어민은 망설이다 김윤후 변호사의 명함을 꺼냈다. 마음 같아서는 올 때까지 마냥 기다리고 싶었지만 홍변이라는 여자에게 아무것도 모르는 채 앉아만 있는 숙맥 같은 인상을 줄 것 같아 그냥 있을 수만은 없다고 생각한 것이다.

"늦으시는군요. 아무래도 제가 전화를 한 통 드려야겠습니다."

어민이 뭔가 미진을 상황 속으로 끌어들이려 했으나 미진은 아무런 대답도 없이 일에만 몰두했다. 무안해진 어민은 김윤후 변호사의 번호를 손가락으로 하나하나 힘주어 눌렀다. 마지막 한 숫자에서 또다시 망설임이 일었으나 어민은 결단을 내리듯 강한 힘으로 마지막 숫자를 눌렀다.

그런데 전혀 예상치 못한 소리가 흘러나왔다.

— 지금 거신 번호는 고객님의 요청으로 통화가 정지되어 연결할 수 없습니다. 다시 확인하시고……

변호사의 휴대폰이 통화가 되지 않는다니. 그것도 고객의 요청으로 정지되었다니. 소파에 앉아 김 변호사의 출현을 기다리는 내내 어민의 온몸을 휘감아오던 불안은 이제 정점으로 치달았다.

모든 게 끝났다는 생각이 들자 갑자기 허탈감과 함께 걷잡을 수 없는 슬픔이 밀려들었다. 김윤후 변호사라는 사람은 자신을 채용한 것이 아니었다. 아니 그 전에 그는 변호사도 아니란 말인가. 대한민국 변호사 중에 휴대폰을 정지시켜 놓는 사람이 과연 있기라도 할 것인가.

"실례했습니다."

어민은 못내 무거운 동작으로 자리에서 일어나 여전히 거들떠보지도 않는 미진을 향해 고개를 숙이고는 출입문을 향해 발걸음을 옮겼다. 그간 구직에 실패할 때마다 느껴왔던 실망감과는 다른 무언가가 끓어오르면서, 일개 식당 아주머니의 뜬금없는 선언을 취직 확정으로 받아들였던 자신이 더없이 밉고 초라하게 느껴졌다.

"이리 와봐요."

어민의 손이 문 손잡이를 빙그르 돌리는 순간 등 뒤에서 미

44   THAAD

진의 부르는 소리가 들렸다. 어민은 그냥 문을 밀고 나갈까 생각했지만 그건 감정의 사치에 불과하다는 걸 누구보다 자신이 잘 알고 있었다. 비록 처음부터 조롱과 무관심으로 자신을 대한 그녀였지만 어쨌든 이 사무실에서 가장 큰 책상을 쓰고 있는 사람이 자신을 부르고 있는 것이었다.

"네? 네, 저요?"

뒤로 돌아 엉거주춤한 자세로 서 있는 어민에게 미진은 감정이 담기지 않은 건조한 목소리로 말했다.

"하고 싶으면 해요."

"네?"

"일하고 싶으면 하라고요. 이 사무실 쓰고 이 책상도 써요."

미진은 자신의 명패가 놓여 있는 큰 책상을 손가락으로 두드렸다.

"그게 무슨……."

"최 변호사님 명패를 올려놔요. 최 변호사님 손님이 올 때는 말이에요. 사무실 사용료는 안 받으실 테니 관리비와 기타 비품비만 나랑 반반씩 내면 돼요. 변호사님이 출근하라고 하신 건 그런 뜻이에요."

어민은 미진이 무슨 말을 하는지 알 것 같았다. 그러니까 채용도 아니고 보수도 없지만 이 사무실을 쓰면서 사건을 수임하고 관리비 정도 내라는 게 김윤후 변호사의 뜻이라는 이야기였다.

"연락이 있으셨나요?"

"아니면 내가 무슨 권리로 이래라저래라 하겠어요?"

"그럼 왜 미리 얘기해 주시지 않고……."

"김 변호사님께 직접 얘기하겠다 그러지 않았어요?"

어민은 맹랑하다는 생각과 더불어 틀림없는 군기잡기라는 생각이 들었다. 자신이 잔뜩 위축되어 초라한 모습 보이기를 기다려서 우월한 지위를 확보하고자 하는 여자의 속셈이 읽혔지만, 어민은 비실거리며 아! 하고 크게 고개를 끄덕였다. 또다시 낙오자가 되어 비참한 걸음을 옮기는 길 외의 다른 길이 미진이라는 이 여자의 입에서 흘러나온 것이다.

개업. 어쩌면 채용보다 더 나을 수도 있는 개업의 기회가 찾아온 게 아닌가. 그간 개업은 사무실 얻을 돈이 없어 아예 상상조차 하지 못했지만 미진은 김 변호사가 개업의 기회를 준 거라고 분명히 얘기하고 있었다.

다시 한 번 그녀의 말을 정리해 본 어민은 서서히 고개를 끄덕였다. 비록 잘 돌아가는 사무실에 채용된 건 아니지만 이것은 새로운 모험이자 도전의 기회였다. 말하자면 돈을 안 들이고 개업을 하는 천재일우의 기회. 어민은 주먹을 불끈 쥐었다.

그러나 다음 순간 천재일우의 기회라는 생각은 이내 걱정에 묻혔다. 이 위치에 이 정도 사무실이면 임대료가 무척 비쌀 텐데 사무실 사용료를 안 받는다는 얘기를 이해할 수 없었던 것이다.

어민이 무슨 생각을 하는지 안다는 듯 미진이 다시 서류에 얼굴을 묻으며 말했다.

"사무실은 확실히 김 변호사님 소유예요. 건물 지을 때 이 사무실 분양받으셨어요."

"그런데 김 변호사님은 여기서 일하시지 않나요?"

"보면 몰라요?"

쌀쌀맞은 미진의 대답에 조금 전보다는 생기를 띤 어민의 눈이 작은 책상들을 한번 휘 훑었다. 한 줄로 늘어선 책상의 배열로 보아서는 분명 사무원의 책상이었지만 그런 건 아무래도 좋았다. 이 책상들 중 하나에 자신의 변호사 가방을 놓고 일할 수 있다는 생각에 가슴이 크게 부풀어오르자 어민은 몰래 심호흡을 하며 숨을 골랐다.

"정말 사무실 사용료를 내라 그러시지 않을까요? 제가 이 사무실을 사용하며 사건 수임을 해도?"

"같은 걸 왜 자꾸 물어요? 그분은 세상일에 전혀 관심이 없어요. 나도 이 사무실을 쓰지만 사용료를 내본 적 없어요."

미진의 대답으로 큰 걱정이 해소되자 이번에는 작은 의문으로 어민의 질문이 옮겨갔다.

"그런데 홍 변호사님은 왜 사무실 직원을 쓰지 않는 거죠?

법원 출입도 해야 하고 하다못해 전화라도 받아줘야 할 텐데.”

“이제 최 변호사님이 돈 벌어 쓰면 되잖아요. 저는 혼자서도 얼마든지 잘하고 있거든요.”

그러니까 미진이라는 이 여자는 엄청난 짠순이라는 얘기였다. 그렇다면 틀림없이 배울 것이 많으리라. 어민은 이번에도 입을 헤벌리고 크게 고개를 끄덕였다.

“어쨌거나 악수 한번 해요. 이제 이 사무실을 같이 쓰는 파트너 변호사니까.”

미진은 마지못한 듯 손을 내밀었다가 아, 소리를 내며 얼굴을 찡그렸다. 어민의 손에 잔뜩 힘이 들어가 있었던 탓이었다. 이렇게 확실한 사무실만 있다면 성공하지 못할 것도 없다는 자신감이 어민의 가슴속 깊은 곳에서 우러나고 있었다.

3

첫 번째 수임

다음 날 어민은 새벽같이 출근해서는 사무실이 윤이 날 정도로 쓸고 닦았다. 따로 직원이 없으니 그것은 사무실 주인이 해야 할 일이었고, 어민은 쓸고 닦을 자리가 생겼다는 것만으로도 마냥 기분이 좋아 싱글벙글 웃음을 멈추지 못했다.

"굿모닝! 호호, 김 변호사님께 감사해야겠어요. 이렇게 훌륭한 분을 보내주셨으니."

미진은 사무실이 이전과는 다르게 깨끗하고 정돈이 잘되어 있자 흡족한 모양인지 점심을 같이하며 몇 가지 사소한 이야기들을 들려주었다. 그녀는 오로지 이혼사건만 계속해서 맡으며 전문성과 명성을 키워가고 있었고, 이런 전략은 상당히 효과적이었다는 것이 그녀의 이야기였다.

"억울한 여성들을 잘 대변해 주는 모양이군요."

어민은 미진의 전문화 전략에 고개를 끄덕였다.

"아니, 그 반대예요. 남성들을 위해 여성들을 공격하죠."

"네?"

"난 남자라는 존재를 몰라요. 하지만 여자는 잘 알죠. 내가 여자니까. 여자들이 남자들을 어떻게 속이는지, 어떻게 괴롭히는지 잘 알 수밖에 없죠. 그러니 나는 이혼소송에서 여자들의 약점을 어떻게 효과적으로 공격해야 하는지 잘 알아요. 나는 남자들이 아닌 여자들을 잘 공격해 소송에서 이겨요. 언제부터인지 '악녀 잡는 악녀'라는 별명도 붙었어요."

처음 보았을 때부터 어딘지 얄밉다는 생각이 들게 만들던 미진은 과연 돈 버는 방법도 약은 데가 있었다.

어민은 청소를 마친 후 미진이 나오면 바로 가방을 들고 손님을 찾아 밖으로 나가곤 했다. 변호사란 숨쉬는 걸 포함해 일거수일투족이 모두 영업행위에 해당되고, 가만히 앉아 있어도 이런저런 알음이나 지연·학연으로 손님이 찾아오게 되어 있지만, 지금의 어민은 앉아서 손님을 기다릴 처지가 아니었다.

어민은 법원 주변을 부지런히 걸어다니면서 '남들이 맡지 않는 사건 전문'이라고 적힌 전단지를 나누어주었다. 이것은 실력이 달리는 약점을 커버하기 위해서는 다른 변호사들이 귀찮거나 품위에 손상이 간다는 이유로 맡지 않는 사건을 주로 수임

THAAD

하겠다는 어민의 전략이었다.

그러나 전단지를 받아든 사람들은 어민의 의도와는 정반대로 고개를 가로젓기만 했다. 어민은 전혀 부끄러워하지 않고 스스로 자신을 변호사라고 소개했는데, 이것이 사람들에게 혼동을 주는 모양이었다.

"남들이 맡지 않는 사건 전문이라면 대단히 실력이 있는 변호사라는 뜻인데, 그렇게 실력 있는 변호사가 왜 전단지를 직접 돌린단 말이오?"

"제가 실력 있다는 게 아니라……."

어민은 사람들의 물음에 끝까지 대답할 수 없었다. 자신의 입으로 실력이 없어 남들이 맡지 않는 허접한 일들도 다 맡으려는 것이라고 대답하기는 쉽지가 않았다. 어쨌든 어민은 부지런히 다니며 전단지를 나누어주었고, 오랜 실업 후에 찾아온 이 기회에 감사하며 일을 즐겼다. 돈을 아끼기 위해 때로는 점심도 먹지 않았지만 어민은 싱글거리며 걷고 또 걸었다.

아침에 일찍 나가는 어민은 오후나 저녁 무렵이 되어서야 사무실로 돌아오곤 했는데, 이후로도 김 변호사와 직접 대면한 적은 없었다. 한번은 사무실 밖으로 나가는 그의 그림자를 급히 쫓아가 고개를 숙이며 큰 목소리로 감사인사를 했는데, 이때에도 그는 그냥 휙 쳐다보고 아무런 대답도 없이 지나쳐버리고 말았던 것이다.

"김윤후 변호사님은 왜 인사를 받아주시지 않는 걸까요?"

미진은 별로 귀 기울이는 태 없이 건성으로 대답했다.

"왜, 걱정되세요?"

"걱정이 안 된다면 이상한 거죠. 정말 사무실을 무료로 쓰게 해주실지 직접 의사를 여쭤봐야 안심하고 일을 맡을 수 있지 않겠어요?"

"설마 그 허락을 못 받아 사건 수임을 못한다는 얘기는 아니죠?"

"……."

사실 처음 사무실에 나오기 시작했을 때 가졌던 뭐가 되어도 될 거라는 희망은 시간이 지나면서 조금씩 새어나가고 있었다. 아침에 청소를 마치고 나가 하루종일 돌아다니며 전단지를 몇백 부 나누어주어도 사건 의뢰를 문의하는 전화는 몇 건도 안 되었다. 변호사업계의 수임난은 생각보다 심각해 예전에는 밀려드는 의뢰인들을 감당하지 못해 즐거운 비명을 지르던 오래된 변호사들도 지금에 이르러서는 사건 수임을 못해 쩔쩔매고 있었다. 이런 판에 신임 변호사로서 사건을 수임한다는 건 지난한 일이었다.

매일 오후 허탕만 치고 돌아오는 어민을 보자 미진은 노골적으로 한심하다는 표정을 지었다.

THAAD

"수임을 하고 못하고 간에 어떻게 그 오랜 시간이 지나도록 의미 있는 상담을 하나도 못 받아올 수 있어요? 도대체 어딜 다녀요?"

"다닐 수 있는 모든 곳요."

날카로운 미진의 목소리에 비해 어민의 목소리는 처져 있었다. 하지만 어민은 이내 목소리에 기운을 불어넣으며 스스로에게 다짐하듯 말했다.

"어떻게든 될 거예요. 보험모집인 못지않게 많이 걸어다니며 알리고 있으니까요. 인터넷에도 '최어민 변호사'라는 이름을 집어넣을 수 있는 만큼은 다 집어넣었어요."

"그게 걸어다니면서 전단지 뿌리고 인터넷 틈새에 그 생소한 이름을 집어넣기만 해서 될 일이에요? 변호사 된 지 3년이나 되었어도 제대로 채용된 적이 없었고 개업한 지 한 달이 다 되었는데 한 건도 들어오는 게 없다면 뭔가 심각한 문제가 있다는 얘기잖아요?"

미진은 어민이 행상처럼 하고 다니며 전단지 돌리는 꼴을 영 못마땅해했다. 그러나 그녀의 힐난이 틀린 것만은 아니었다.

사실 변호사는 개업할 때가 황금기라 개업하는 바로 그 순간 한 건도 수임을 못했다면 그건 싹수가 노랗다는 신호였다. 어민은 스스로도 변호사 세계의 한중심에 올라서기는 틀렸다는 걸 알고 있었지만 꼭 일류만이 밥 먹고 살라는 법은 없다고 스스로에게 외치며 자신이 할 수 있는 범위에서는 뭐든 다 하고 있는 중이었다.

"같은 직업을 가진 사람들 중 실력 차이가 가장 많이 나는 직종이 뭔지 알아요? 그게 바로 변호사예요. 1년에 수십억씩 버는 변호사가 있는 반면 단 한 푼 못 버는 변호사도 있어요. 그 차이가 뭔지 알아요? 그게 바로 실력이에요. 실력."

"홍변은 내가 변호사일 하는 게 싫어요?"

"……"

"확실히 싫은가 보네요. 그런데 왜 싫죠?"

"변호사가 그렇게 보따리 행상하는 것처럼 하고 다니는 걸 좋아할 변호사가 어디 있어요? 그것도 같은 사무실을 쓰는 변호사가."

미진은 스스로도 좀 심했다 싶었는지 중간에 입을 다물어버렸으나 어민은 있는 대로 시무룩해져 구부정한 자세로 소파에 털썩 주저앉았다.

시간이 조금 지나서 그는 변명하듯 더듬더듬 말했다.

"사무실이 있고 열심히 다니는데…… 이제 뭐가 되어도 될 거예요. 조금만 참아줘요."

이미 제 서류에 코를 박은 미진은 비웃듯 대꾸했다.

"남들이 맡지 않는 사건이라고요? 세상에 그런 건 없어요.

변호사라는 사람들이 맡지 않는 사건이라는 건."

"아니요, 있어요."

"……."

"있어요. 변호사들이 맡지 않는 사건이라는 거. 작은 사건요. 도무지 망신스러워서 맡지 않는 사건. 아무리 훌륭하게 해결해도 푼돈이나 만지는 그런 사건요. 변호사라는 인종이 이런 것도 맡아줄까 하는 그런 보잘것없는 사건이 세상에는 넘쳐난단 말이에요. 가난한 사람에게는 아직도 변호사가 너무 멀리 있어요. 품위 있는 변호사들은 아무리 수임난에 허덕여도 그런 사건은 맡지 않지요."

"주제에 봉사라도 하겠다는 말이에요?"

"아니요. 내 주제를 잘 알기 때문에 이러는 거예요. 택시비조차 없어 쩔쩔매는 가난한 내가 큰돈만 노리겠다는 건 나 스스로에 대한 기만이에요. 나는 내 위치에서 최선을 다하는 거죠."

갑자기 나름 열변을 토해내는 어민을 바라보던 미진은 가당찮다는 듯 코웃음을 치고는 도로 눈길을 거두었지만 더 이상 뾰족하게 쏘아대지는 않았다. 그리고 출근을 시작한 후 처음으로 미진을 향해, 아니 세상을 향해 한마디를 던진 어민은 자리에서 일어나 밖으로 나오고 말았다.

어민의 의지와는 상관없이 계속 일은 찾아와주지 않았다.

너무나 참혹한 현실에 급기야는 미진의 얼굴에서도 비웃음이 사라지고 어민 역시 지친 나머지 전단지 돌리기를 멈추었을 무렵, 통 울리지 않던 휴대폰에 한 통의 전화가 걸려왔다.

"최어민 변호사이십니까?"

"네, 그렇습니다."

"남들이 맡지 않는 사건을 전문으로 맡으신다는 얘기를 들었는데, 그렇습니까?"

어민은 다소 당황했다. 그런 취지로 발품을 팔고 다녔지만 막상 누군가 전화를 걸어오자 어떻게 대답해야 할지 혼란스러웠다.

"네……."

"남들이 맡지 않는 사건이란 어떤 사건을 말하는 겁니까? 패소할 소지가 다분한 어려운 사건을 말하는 겁니까?"

"아니, 그게 아닙니다. 저는 아무리 하찮은 사건도……."

"아, 네. 좋습니다."

상대가 도중에 어민의 말을 잘랐기 때문에 어민은 뒤의 말, 즉 싸게 맡는다는 말을 할 기회를 잃었다.

"사무실은 어디에 있습니까?"

"서초동 법원 바로 앞의 법조빌리지 305호입니다."

"내일 오전에 좀 만날 수 있을까요? 제가 시간이 무척 없어서 그럽니다."

"물론입니다."

어민은 날아갈 듯 기뻤다. 사건 수임까지 이어질지는 몰랐지만 개업하고 처음으로 의미 있는 약속을 하게 된 것이었다.

"아, 그런데 죄송하지만 내일 만날 장소를 사무실이 아닌 인천공항으로 해도 되겠습니까? 출장비는 넉넉히 드리겠습니다."

"네, 그렇게 하겠습니다만, 왜 공항에서?"

"내일 오전 비행기로 출국합니다."

인천공항 2층의 라운지에서 만나기로 약속을 잡고 전화를 끊는 어민의 얼굴은 처음과는 달리 어두워져 있었다. 공항에서 출국 직전의 사람으로부터 변호사선임계에 도장을 찍고 수임료까지 받는다는 건 너무 현실감이 없어 보였다.

다음 날 인천공항에서 만난 사람은 자신을 뉴욕에서 근무하는 회사원이라고 소개했다.

"저는 리처드 김, 서울에서 대학을 졸업하고 미국으로 유학가 거기서 눌러앉아 살고 있습니다. 대학에 좀 있었지만 지금은 회사에서 일하고 있습니다."

"그렇습니까?"

어민은 약간 위축되는 기분이 들었다. 매우 점잖아 보이는 모습이나 초면인데도 세련되게 이야기를 이끌어가는 솜씨로 보아 결코 만만한 얘기가 나올 것 같지는 않았다. 어민은 혹시 자신이 이해하지 못하는 얘기가 나오면 어떻게 하나 걱정이 되었지만 애써 표정을 관리했다.

"회사일로 너무 바빠 잠시 나왔다 들어가는 길입니다만, 너무 걱정되는 일이 있어 휴대폰으로 인터넷을 검색하다 변호사님을 찾았습니다."

"국제상사 사건이군요?"

제대로 된 단어를 골라냈다 안도하면서도 어민은 마음이 편치 않았다. 국제상사 사건이란 법적 지식도 지식이지만 이것저것 따져 물어야 하는 따분함 때문에 로스쿨 때도 가장 싫어하던 기억이 새삼 떠올라오는 것이었다.

"아, 사실은 저의 회사일 때문이 아니고⋯⋯."

리처드 김이 약간 거북한 표정을 지었다.

"편히 말씀하십시오. 저는 뭐든 도와드릴 수 있습니다."

"전화로 문의했을 때 가벼운 일도 하신다기에⋯⋯."

"맞습니다."

"그래서 말인데, 사실은 이번에 어머니 문제로 급히 나왔다 들어가는 길입니다. 부탁드리고자 하는 일은 저희 어머니와 관련된 겁니다."

"상속이나 증여 사건이로군요?"

"그런 게 아니라."

"네."

"저희 어머니가 여기 한국에 혼자 계시는데, 할 수 없이 요양원에 모시고 있습니다. 지금 일흔여섯이신데 연세에 비해서는 건강이 많이 안 좋습니다. 특히 심장이 약해 늘 걱정입니다."

"왜 미국에서 같이 사시지 않고요?"

"몇 번 모시고자 했지만 당신이 한사코 거부하셨습니다. 더욱이 제가 직장에서 근무하는 사이 어머니가 우두커니 집에 혼자 계시는 건 생각만 해도 마음이 아픈 일입니다. 말도 통하지 않고 친구도 하나 없는 미국은 어머니께는 지옥에 다름 아닙니다."

"손자손녀가 없습니까?"

"네."

"그렇다면 정말 가기 싫으시겠네요. 여기 어머니를 모실 다른 형제분들이나 친척은 없습니까?"

"자식은 저뿐이고, 친척들이 다소 있긴 한데 연로하시고 이런저런 사정들이 있어 제 어머니를 부탁드릴 정도는 아닙니다."

"그렇군요. 그럼 제가 어떻게 도와드리면 되겠습니까?"

"변호사님이 저 대신 가끔 면회를 가주시고 요양원 측에서 제대로 돌보는지 혹시 요양원이 모르는 새 다른 분들로부터 왕따나 폭행을 당하시지는 않는지, 이런 것들을 챙겨주실 수 있을까 해서 뵙자고 했습니다."

"면회를 가고, 왕따를 당하지 않는지 감시하고……."

"좀 사소한 일이긴 합니다만 그렇다고 아무나 시킬 수도 없고 해서. 변호사님께서 직접 해주시면 사례금은 충분히 드리겠습니다만."

어민의 얼굴과 마음이 동시에 환히 밝아졌다. 처음 자신이 '남들이 맡지 않는 사건 전문'이라는 전단지를 돌리겠다고 마음먹었을 때 염두에 둔 일이 바로 이런 것이었다.

"물론입니다. 제가 제 어머니 모시듯 챙기겠습니다."

어렵게 얘기를 꺼냈던 리쳐드 김은 어민으로부터 기대했던 이상의 대답을 듣자 순식간에 표정이 크게 밝아졌다.

"정말 변호사님이 직접 가실 수 있겠습니까?"

"물론입니다. 최대한 자주 가고 혹시 힘드신데도 말 못하시는 부분이 있는지까지도 세심히 살피겠습니다. 노인분들은 뭐든 잘 숨기려 하시니까요."

어민의 이 말은 고객을 감동시켰다.

"정말 그렇습니다. 잘 아시는군요. 그럼 보수를 어떻게 드리면 되겠습니까?"

어민은 잠시 생각하다 물었다.

"요양원이 어디에 위치하고 있습니까?"

"충청북도 제천에 있습니다."

"제천이면 제가 잘 아는 곳입니다. 청량리에서 기차가 가는 곳이니 교통은 아주 편하군요. 그럼 300만 원이면 적당할 것 같습니다."

"매달이요?"

"네?"

"매달 300을 드리면 될까요?"

"아니, 1년에요."

"네? 1년에 300? 그건 너무 적지 않습니까?"

리처드 김은 고개를 크게 가로저었다.

"충분합니다. 저는 시간이 많이 남는 사람입니다. 그간 사건 수임을 못해 고민하던 참인데 300만 원이면 제게는 충분하고 고마운 액수입니다."

리처드 김은 잠시 어민을 바라보다 지갑을 꺼내서는 수표석 장을 내밀었다.

"보통의 변호사들과는 너무도 다른 분이시군요. 1년에 3천으로 하시죠. 미국에 있으면서도 어머니가 늘 마음에 걸렸는데 이제 정말 안심이 됩니다. 잘 부탁드립니다."

수표에 적힌 금액이 눈에 들어오는 순간 어민의 입에서는 자신도 모르게 신음이 새어나왔다.

"아니, 이건!"

"준비한 돈이니 그대로 다 받아주십시오. 제가 느끼는 안도감은 돈으로 바꿀 수 있는 게 아닙니다. 사실 제가 근무하는 곳이 세계은행인데 연봉이 제법 됩니다. 이 정도 금액은 충분히 드릴 수 있습니다."

리처드 김은 어민과 간단한 서류작업을 마치자 홀가분한 표정으로 악수를 청했다. 어민이 아무리 돈을 돌려주려 해도 리처드 김은 한사코 거절하고는 돌아서 체크인 카운터를 향해 걸어가버렸다. 홀로 남은 어민은 마치 신파극의 한 장면처럼 자신도 모르게 주르륵 흐르는 눈물을 주체하지 못하고 입속으로 다짐하고 있었다.

"맹세코 제 어머니처럼 모실 테니 염려 마십시오."

01

채동욱

박근혜는 처음 대통령에 취임했을 때 정권의 정통성에 대한 시비를 가장 염려했다. 2012년 대통령선거 당시 국정원이 박근혜의 당선을 돕기 위해 움직인 흔적이 야당에 의해서 드러났기 때문이었다. 이것은 대통령 취임 이후에도 '국정원 댓글 사건'이라는 매우 예민하고 위험한 이름으로 박근혜를 끊임없는 염려와 불안 속으로 몰아넣었다.

거기에 김용판 서울경찰청장이 '국정원 댓글 사건'을 수사하는 경찰서 측에 압력을 가했다는 주장이 제기되면서 대중봉기로 이어질 가능성까지 감지되는 상황이었다. 그런데 무엇보다도 큰 위험성은 검찰총장으로부터 제기되고 있었다.

한국 검찰은 공안과 수사, 두 부류로 구분된다. 공안검사들은 전체적으로 나라를 안정되게 유지하는 것이 중요하다고 생각하고, 그런 면에서 조율에 능하다. 이들은 사회적 안정성 또는 정권의 안정을 현저하게 저해할 것으로 보이는 사건이 발생하면 신속하게 정권이나 고위 관료들과 협의한다. 따라서 공안 검사 출신의 검찰총장은 안정을 잘 유지한다.

반면, 수사검사들은 법에 어긋난 것은 무엇이든 파헤쳐야 하고, 그렇게 하면 자연적으로 사회가 발전하고 안정된다고 믿는다. 박근혜 정권 초기에 검찰총장으로 임명된 채동욱은 바로 이런 수사검사들의 대표로서, 한마디로 '칼잡이'라고 불렸다.

채동욱은 자신을 검찰총장에 임명해 준 대통령에 대한 어떠한 고려도 우호도 없이 '국정원 댓글 사건'을 마치 양파를 까듯 한 겹 한 겹 벗겨내고 있었다. 그는 그야말로 검찰총장이라는 직무에 충실했고, 매우 건조하게 자신의 일을 처리해 나가고 있었다.

채동욱이 이끄는 검찰 수사팀은 국정원 댓글 사건을 좀 더 확실하게 파헤치고자 먼저 국정원장을 '금품수수' 건으로 기소했다. 이렇게 일단 국정원을 강력하게 눌러놓고, 검찰의 수사는 국정원뿐 아니라 다른 곳으로 점차 확대돼 나가고 있었다. 수사가 이렇게 계속 진행된다면 국정원장이나 서울경찰청장과 접촉했을 것으로 보이는 박근혜 선거캠프로 불이 옮겨갈 것이

명약관화했다.

이런 상황에서 청와대는 검찰총장을 매우 곤혹스럽게 생각하고 있었다. 대통령은 연일 비서실장을 채근했지만 내무관료 출신인 허태열 비서실장은 이 민감하고 폭발성이 큰 사건을 어떻게 해결해야 할지 몰라 우왕좌왕했다. 그는 여러 경로로 검찰에 신호를 보냈으나 채동욱 검찰총장은 모든 신호를 완벽히 무시했다. 이런저런 외압이 들어올수록 채동욱은 자신이 아끼는 칼잡이 검사들을 밤낮없이 독려했다. 부정을 파헤쳐라, 부정을 일소하면 마지막에는 정의가 찾아오기 마련이다…….

검찰총장의 든든한 보호와 격려에 힘입은 검사들은 더욱 열정적으로 '국정원 댓글 사건'을 파헤쳤고, 차츰 숨어 있던 전모가 속속들이 드러나기 시작했다. 위기의식을 느낀 대통령은 허태열 비서실장을 경질하기로 결심했다. 상황을 이대로 방치했다가는, 과거 이명박 대통령이 광우병 시위로 정권 초기에 힘을 잃었듯이, 자신 역시 정권의 동력을 잃어버리고 수세에 몰리다 조기에 레임덕을 맞게 될 수도 있다고 생각한 것이다.

박근혜는 심사숙고 끝에 이 모든 상황을 해결해 줄 수 있는 적임자를 찾아냈다. 그가 바로 김기춘 비서실장이었다. 대부분의 사람들에게 대한민국 검찰총장은 무소불위의 거대한 조직을 이끄는 무서운 권력자지만, 노태우 정권 시절 이미 검찰총장과 법무부장관을 역임한 김기춘에게 채동욱은 다만 새까만 후배에 불과할 뿐이었다.

김기춘은 1939년생이다. 그는 박근혜에게 영향력을 미칠 수 있는 사람으로 분류되기는 했지만 실상 하는 일은 거의 없었다. 그러나 전격적으로 비서실장에 임명된 그는 현 시점에서 자신이 할 일이 무엇인지 분명히 알았다. 바로 검찰의 국정원 수사를 중지시키는 일이었다.

그는 그간 허태열 비서실장이 했던 일들을 꼼꼼히 분석했다. 채동욱이 어떤 신호에도 미동조차 하지 않았다는 것을 알게 된 그는 검찰총장에게 어떤 종류의 시그널도 제스처도 보내지 않았다. 그는 누구도 생각하지 못한 거대한 그림을 그리고 있었던 것이다.

김기춘은 검찰총장 출신의 노회한 정치인답게 자신이 표면에 나서는 일은 결코 하지 않았다. 그는 물밑에서 채동욱의 약점을 수집하는 데 집중했고, 얼마 지나지 않아 운 좋게도, 너무나 운이 좋게도 결정적인 약점이 포착되었다.

바로 혼외자 문제였다.

채동욱은 원래 서울에서 검사 생활을 하다 부산 동부지청으로 발령을 받아 내려가게 되었다. 정통 수사검사답게 술을 좋아하는 그는 혼자 낯선 도시에 와 생활하는 무료함을 업무 후 여기저기 술집을 다니는 것으로 달랬다. 그러다가 마음에 맞는 한 여자를 만나게 되었고, 그녀와 차츰 깊은 관계로 빠져들어 갔다. 그러던 어느 날, 여자가 채동욱에게 놀라운 사실을 알렸다. "당신의 아이를 가졌어요."

10여 년 전의 이 일이 한때 한국 사회를 들끓게 만들었던 '채동욱 혼외자 사건'의 시발점이다.

채동욱이 검찰총장이 되자 아이는 주변에 자신의 아버지가 검찰총장이라고 얘기했고, 이것이 김기춘이 보이지 않게 지휘하는 청와대 정보망에 걸려든 것이다. 청와대는 다각적인 채널을 통해 이 아이가 채동욱의 아이임을 확인했고, 만의 하나라도 실수하지 않기 위해 확인에 확인을 거듭한 다음 〈조선일보〉에 이 사실을 알렸다.

〈조선일보〉 역시 신문사의 사활이 걸린 사안이라 동원할 수 있는 모든 수단을 통해 철저히 확인했다. 채동욱의 아이가 틀림없다는 결론을 내린 〈조선일보〉는 전격적으로 검찰총장 채동욱에게 혼외자가 있음을 톱기사로 세상에 알렸다.

이에 대해 아이의 친모 임씨는 다른 신문사에 편지를 보내, 아이의 아버지는 결코 채동욱이 아니며, 다만 자신이 평소 알고 있는 채동욱이라는 훌륭한 검사의 이름을 아이의 아버지로 기재했을 뿐이라고 주장했다. 채동욱 또한 그 아이는 자신의 친자가 아니라고 분명히 밝혔다.

그러나 〈조선일보〉는 깊고도 넓게 여러 정보를 제공하면서 임씨와 채동욱의 주장을 반박했다. 달아오를 대로 달아오른 세간의 관심은 결국 아이의 DNA 검사로 모아졌다. 그러나 임씨는 아이를 미국으로 보내 DNA 검사를 원천적으로 차단해 버렸다. 채동욱은 자신의 측근들에게 아이는 결코 자신의 친자가 아니라고 강변했지만, 그 직후 검찰총장을 감독하는 권한을 가진 법무부가 검찰총장에 대한 감사를 결정하자 바로 자진사퇴했다.

김기춘 비서실장의 완벽한 승리였다. 세상은 아이를 채동욱의 친자로 확실히 인지했고, 채동욱은 졸지에 대한민국 최고의 강직한 수사검사에서 거짓말쟁이로 전락하고 말았다. 그에 반해 김기춘은 박근혜 정권에서 그 누구도 대체할 수 없는 확고부동한 위치를 점유했고, 이후 박근혜의 모든 정치 활동에 막강한 영향력을 행사하게 되었다.

그런데 그 아이는 정말 채동욱의 친자일까? 우리는 그렇지 않을 가능성이 높다고 판단한다.

유능한 수사검사 출신인 채동욱은 아이가 자신의 혼외자로 세상에 공개된 이상 그것을 뒤집기는 불가능하다는 것을 누구보다도 잘 알고 있었다. 그런 그가 사퇴하기 직전까지 수십 년간 자신을 믿고 따라온 후배 검사들이 모두 모인 자리에서 "나는 떳떳하다. 그 아이는 내 자식이 아니다"라고 강변한 바 있다. 과연 이 사실을 어떻게 받아들여야 할까?

그는 또한 〈조선일보〉를 상대로 '정정보도 청구' 소송을 제기하면서, 아이는 자신의 혼외자가 아니며 유전자 검사를 해서라도 진실을 밝혀달라고 요구했다. 그렇다면 평생 온갖 수사를 다 해오면서 진실이 밝혀지는 과정과 절차에 대해 누구보다도 잘 알고 있을 사람이 마지막 순간까지 그렇게 거짓말을 할 수 있었을까를 생각해 보아야 한다.

아이가 정말 친자라면 채동욱은 더욱 소중한 걸 잃게 된다. 즉, 자신의 자식을 스스로 버리는 셈이 되는 것이다. 채동욱은 산부인과 서류의 '아버지' 난에서부터 학적부에 이르기까지 흔적을 남겼고, 자주 아이를 찾아와 놀기도 하고 공부도 가르쳤다. 가정부는 채동욱이 찾아온 걸 증언했고, 세상은 이런 점들을 근거로 채동욱이 아이의 친부라고 하지만, 다른 각도로 판단해야 할 부분들도 충분히 있다. 채동욱이 이미 판세가 결정적으로 기운 상태에서 그동안 정든 자신의 친아들까지 이렇게 무자비하게 부정하면서 저항할 만큼 무모한 인간인가?

한국 내의 모든 정보를 종합해 분석한 후 우리는 그 아이가 채동욱의 친자가 아니라는 결론을 내렸다. 이해를 위해 이 사건을 다음과 같이 재구성해 본다.

아이의 친모 임씨는 술집을 경영하면서 만나게 된 채동욱과 깊은 사이로 발전했지만 채동욱이 첫 번째 남자는 아니었다. 그녀에게는 예전부터 관계를 유지해 오던 다른 남자가 있었다. 극히 짧은 기간 아니면 꽤 오랫동안 여자는 두 남자를 동시에 만났을 가능성이 있다. 그 기간에 아이를 갖게 되었고, 이때 여자는 아이가 과거의 남자보다는 새로운 남자의 자식이기를 원했다. 그녀는 모든 것이 분명치 않은 상황에서 채동욱에게 "당신의 아이를 가졌어요"라고 얘기했다.

이럴 경우 남자는 세 부류로 나뉘는데, 첫 번째는 "뭐? 내 애라고? 무슨 개소리야? 왜 허락도 없이 임신을 한 거야? 내 애가 맞기는 한 거야? 당장 검사해 보자!" 하는 부류다. 이런 남자들은 똑똑하고 정확하지만 매우 비인간적이다. 두 번째 부류는 사랑하는 여자가 임신을 했는데 그걸 바로 검사해서 내 애인지 아닌지 확인하는 건 남자의 도리가 아니라고 믿는다. 이런 남자들은 여자에게 "수고했어!"라며 위로하고 선물도 사 주지만 속으로는 긴장하며 과연 자신의 아이일까 의심한다. 마지막 부류는 무턱대고 좋아하며 "아, 내 애를 가졌다고! 정말 고생했어!"라고 외치는 남자들로, 좋은 사람이지만 얼간이다.

대개의 남자들은 속으로는 '과연 내 애일까' 의심하면서도 겉으로는 좋아하는 모습을 보인다. 바로 검사해 보자고 나서는 냉혈한이 되기도 거부하지만 무턱대고 좋아하지도 못하는 것이다. 채동욱도 이런 남자였을 가능성이 크다. 그는 그리 행

THAAD

복한 가정사를 가진 사람이 아니었다.

그들의 관계는 그런 식으로 꽤 오래 흘러갔다. 아들이 없는 채동욱으로서는 양자도 들일 수 있는데, 사랑하는 여자가 아이를 가졌다고 하는 것을 구태여 물리치고 싶지 않았을 수도 있다. 하지만 검사의 습성으로 아이가 과연 자신의 아이인지에 대해서는 보이지 않게 계속 의심했을 것이고, 본능적으로 진위 여부를 알아차리게 되었을 것이다. 그러다 차츰 아이에게 정이 들면서 아버지처럼 행동했을 수 있다.

그는 자신의 이름을 '아버지' 난에 기재하는 등의 행위도 스스로 얼마든지 감당할 수 있다고 생각했다. 한국 사회에서 강력한 권력을 갖는 검사의 입장에서는 보통 사람보다 훨씬 대범하고 자유로울 수 있는 것이다.

그렇다면 채동욱은 왜 마지막 순간까지 버티지 않고 사퇴했을까? 만약 결백하다면 그는 아이를 미국에서 데려와 유전자 검사를 함으로써 자신의 말이 진실임을 증명하고 싶었을 것이고, 충분히 그럴 수도 있었다. 그런데도 그가 마지막 순간에 사퇴해 버린 데는 어떤 내막이 있는 것일까?

불륜이다. 이 스캔들에서 중요한 문제는 결국 채동욱에게 혼외자가 있느냐 없느냐의 문제가 아니다. 이런 왈가왈부 자체가 본질적으로는 불륜을 수사하고 처벌할 의무가 있는 검사가 스스로 불륜을 저질렀다는 증거에 다름 아닌 것이다. 즉, 이 스캔들을 기획한 이들의 목표는 아이가 친자냐 아니냐를 밝히는 것이 아니라, 채동욱이라는 검사가 불륜을 저질렀다는 치명적인 약점을 드러내는 데 있었던 것이다. 채동욱이 검찰총장직을 수행하기에 부적합한 오점이 있다는 걸 입증해 국정원과 박근혜 선거캠프를 겨냥한 칼을 꺾어버리는 데 가장 큰 목적이 있었기 때문에, 그게 혼외자든 불륜이든 차이가 없는 일이었다. 만약 〈조선일보〉가 '채동욱 검찰총장 혼외아들 숨겼다'가 아니고 '검찰총장 채동욱 불륜을 저질렀다'라고 보도했다면 채동욱은 처음부터 그렇게 저항하지 않았을 것이다.

어찌 되었든, 혼외자 소동으로 정권의 약점을 파헤치던 검찰총장을 주저앉힌 것은 정권의 비겁한 행위로 오래 기억될 것이다. 모든 상황을 입체적으로 고려해 볼 때, 채동욱 사건은 박근혜 정권과 빅 딜을 진행할 때 압박용 카드로서 충분히 가치가 있다고 본다.

4

어머니와 아들

"잘됐네요. 정말 잘됐어. 그런데 문제가 있을 수도 있어요. 재조 경력도 없고 이력도 하나도 없는 분이 첫 수임료로 3천만 원을 받았다니, 거의 사기로 취급될 수도 있어요."

미진은 어느 때보다 어민에게 깊은 관심을 기울이고 있었다. 자신이 장기간에 걸쳐 대여섯 건을 해야 될까 말까 한 액수를 어민이 받아온 때문이었다.

"내가 사기 칠 능력이나 될까요?"

"여하간 이건 뭔가 잘못된 일이에요. 혹시 보험사기를 계획하다 변호사님을 끌어들였다든가, 이런 가능성도 배제할 수는 없죠. 변호사님이 만만해 보이는 건 사실이니까요."

미진이 눈길을 제 책상에 두고서도 끊임없이 불만을 중얼거리던 와중에 문이 열리고 김윤후 변호사가 사무실에 모습을 보였다. 미진은 그를 보자마자 마치 고자질하듯 인사조차 생략하고 말했다.

"변호사님, 최 변호사가 어떤 눈먼 사람 잡아채 3천만 원이나 받았어요. 자칫 우리 사무실에 엉뚱한 피해가 올지 몰라요. 변호사님이 자초지종을 살피셔야겠어요."

뚜벅 뚜벅 걸음을 옮겨놓는 김 변호사의 표정에는 아무런 변화가 없었다. 그는 마치 사무실에 아무도 없기라도 한 듯 아무 말도 인사도 없이 소파에 털썩 앉아 창 너머로 눈길을 던져두었다.

어민은 일어나 그에게로 다가가 선 채 봉투를 내밀었다.

"변호사님, 이거 받아주십시오."

"……"

"변호사 된 지 3년 만에 첫 수임료 받았습니다. 꼭 임대료 같은 건 아니지만 제 감사의 표시입니다."

어민이 테이블 위에 봉투를 내려놓자 김 변호사는 봉투를 받지도 살피지도 않은 채 시선을 여전히 하늘에 두고는 보일 듯 말 듯 고개를 끄덕였다. 어민은 잠시 반응을 기다리다 그냥 돌아서 제자리로 돌아왔다.

"……"

어민은 자리에 앉으면서도 김 변호사 앞에 있는 봉투에 신경이 쓰였다. 그러나 김 변호사는 봉투에는 여전히 무심하게 하늘만 바라보다 그냥 나가버렸다.

어민은 왠지 야속한 기분이 들었다. 처음 보는 그 순간부터 지금까지 김 변호사는 철저히 자신을 아예 없는 사람 취급을 하고 있는 것이었다. 그나마 단 한 번 보여준 행동, 식당에서 술 잔을 건네주어 사무실에 나올 수 있는 용기를 준 게 다행이라면 다행이었다.

어민은 소파 앞 탁자에 놓인 봉투를 집어서는 미진의 책상 위에 놓았다.

"변호사님이 제게 받기 쑥스러운 면이 있으실지 몰라요. 그간 못 본 듯하시다 갑자기 돈을 받기는 싫으셨을 수도 있잖아요. 그러니 이걸 저 대신 드리세요."

"싫어요. 제가 드린다고 받으시겠어요? 직접 드리든 말든 하세요."

미진은 그러면서도 봉투를 집어 안을 살폈다. 액수가 잔뜩 궁금하던 참이었는지 빠른 손길로 봉투 안을 헤집던 그녀는 그만 앗! 소리를 지르고 말았다.

"2천만 원!"

다음 순간 어민을 보는 미진의 눈초리는 어느새 달라져 있었다.

"이거 제정신으로 넣은 거 맞아요?"

"네."

"아니, 몇십만 원만 넣어도 되고 돈 100 넣으면 훌륭한데 2천 만 원이나 드려요?"

"변호사님이 제게 사무실을 안 주셨으면 만 원도 안 생겼을 거예요."

"그거와 이거는 완전히 다른 문제예요. 이건 말도 안 돼요. 100만 원 놔두고 1,900은 집어넣어요."

"그럴 순 없어요."

"그럼 200을 넣든가."

"아니요, 나는 그대로 다 드릴 거예요. 그런데 문제는 그게 얼마고 간에 변호사님이 전혀 반응이 없으신 데 있잖아요. 변 호사님은 왜 세상일에 이렇게나 관심이 없으신 걸까요? 홍변 은 어떻게 변호사님을 알게 되었고 어떤 이유로 여기 나오게 된 거죠?"

홍변은 다시금 조롱기 섞인 눈길을 되찾아 어민에게 쏘아보 냈다.

"저는 김 변호사님과 특수관계인이에요. 최 변호사님처럼 구 제받은 게 아니란 말이에요. 하지만 그분이 왜 저렇게 세상일 에 넋 놓고 계시는지는 알 수 없어요. 제가 처음 사무실에 나오 던 날부터 저러셨으니까요."

"특수관계인이라면 어떤 관계죠?"

"그건 알 필요 없어요. 하여간 꼭 그렇게 돈을 많이 드리고 싶다면 제가 전할게요."

어민은 사무실 상황이 정리되자 바로 가방을 들고 청량리로 향했다. 한순간이라도 빨리 제천으로 가 리처드 김의 모친을 뵈어야만 한다는 생각에서였다.

"노인하고 대화할 때는 녹음해서 나중에 다시 들어봐야 돼요. 말과 마음이 다르기 일쑤니까요."

미진은 어민이 거액을 내놓아서 그런지 보이지 않던 친절까지 베풀었다.

"우리 김 박사가 변호사님께 나를 부탁했다고요?"

어민이 요양원의 널찍한 한 방에 들어서자 인자한 모습의 백발노인이 두 손을 뻗으며 함박미소로 그를 맞이했다. 특이하게도 리처드 김의 모친은 자기 자식을 '김 박사'라 불렀다. 어민은 이 호칭에서 모친이 리처드 김을 극진히 아끼고 자랑스러워한다는 걸 느낄 수 있었다.

"네, 어머님 뵙기 전에 먼저 요양원 원장과 의사, 간호사 다 만났습니다. 뿐만 아니라 건물관리인, 보일러실 기사도 만나 난방 실태도 점검했고 원장이 키우는 개 예방접종 여부도 확인했습니다. 날짜가 지나 한바탕했어요."

"호호."

리처드 김의 모친은 어민이 변호사라는 신분임에도 불구하고 직접 사소한 것까지 다 챙겼다는 게 대견한지 무척 만족스러워했다.

"혹시 같이 계시는 분 중에 불편하거나 좀 떨어져 있었으면 좋겠다 싶으신 분은 없습니까? 있으면 편하게 말씀해 주십시오."

"아니, 없어요 없어. 그런데 변호사님이 이렇게나 신경 써주시니 이 고마움을 어떻게 해야 할지 모르겠네."

"아드님이 제게 그야말로 신신당부하셨습니다. 저로서는 과분한 인정도 받았고요. 저는 아드님처럼 효성이 지극한 분을 이제껏 본 적이 없습니다."

"김 박사야 훌륭한 사람이지요. 비록 내 아들이지만 세상에 그런 사람 없어요. 그리고 우리 며느리도 한번 봐야 해. 어쩌면 그렇게 똑똑하고 착한 아이를 만났는지. 글쎄 미국에서 공부한 여자 같지가 않아요. 나도 미국 가서 살고 싶지만 아이들 공부하는 데 방해될까 봐 꾹 참고 있어요."

"며느님이 공부를 하시나요?"

"아, 미국에서 어엿이 박사 따고 교수예요. 교수만 아니면 내가 미국 가서 살지. 그런데 그렇게 훌륭한 아이 공부 방해하면 쓰나. 난 여기서 그냥 김 박사 부부 생각만 하고 살아도 행복해요."

"아드님이 어머님께 너무너무 신경을 쓰시더군요. 그래서 저도 시간이 허용하는 한, 아니 무슨 일보다 앞서 앞으로 자주자주 찾아뵙겠습니다. 혹시 불편한 게 있으시거나 하면 언제라도 이 번호로 전화를 주십시오. 버튼을 누르시는 즉시 달려오겠습니다."

"변호사님이 이렇게나 신경을 써주시니 마음이 든든해요. 그런데 에이, 전화는 무슨…… 뭔 일이 있을 것도 없고요. 변호사님도 몇 달에 한 번씩 오시면 족해요."

"아닙니다. 저는 매주 월요일에는 빠지지 않고 오겠습니다. 일주일에 두세 번도 올 수 있지만 조용히 쉬시는 데 혹시 방해가 될까 염려돼서요. 필요하시면 매일이라도 오겠습니다."

모친은 크게 손을 저었다.

"하이고, 변호사님이 그러시면 안 되시죠. 하여튼 알았으니 어서 올라가봐요."

리처드 김의 모친은 배움도 있고 배려가 깊은 사람인 듯했다. 어민은 첫 면회를 마치고 기쁜 마음으로 서울로 돌아오는 기차에 몸을 싣고는 홍변의 조언에 따라 녹음한 대화를 찬찬히 들어보았다. 다행히 모친은 응어리진 게 없이 마음이 편하기만 한 분이라 속마음을 따로 걱정할 필요가 없었다.

우우우웅, 우우우웅!

종일 전단지를 돌리느라 지쳐 깊은 잠이 들었던 어민은 쉴 새 없이 진동하는 휴대폰 소리에 잠이 깨 창에 뜬 이름으로 눈길을 모았다.

리처드 모친

전혀 예상하지 못했던 이름이 창에 뜨자 어민은 화들짝 놀라 벌떡 일어났다. 눈의 초점이 이름 곁의 시간을 가리키는 작은 숫자에 모여졌다. 새벽 3시 17분. 어민은 다급하게 외쳤다.

"여보세요! 어머님!"

"……."

"어머님!"

"……."

어민이 커다란 목소리로 거듭 불렀음에도 저편에서는 아무런 소리도 들리지 않았다. 어민은 외침을 멈추고 조용히 귀를 기울였다. 무슨 희미한 소리가 들리는 듯도 했던 것이다.

"아아, 아, 흐흐흑!"

어민은 이내 이 희미한 소리가 모친의 울음소리라는 걸 알 수 있었다.

"어머님! 저 최어민 변호삽니다. 어머님!"

어민이 그렇게 외쳤음에도 저편에서는 대답이 없다 이내 전화가 끊어지고 말았다. 이후 어민이 아무리 걸어도 전화는 연결되지 않았고 요양원의 유선전화 역시 받는 사람이 없었다. 어민은 자리에서 벌떡 일어나 세수를 하는 둥 마는 둥 하고는 뛰어나가 지나가는 택시를 잡았다.

"충북 제천으로 갑시다! 빨리!"

끝이 보이지 않는 불경기의 한복판에서 심야의 행운을 잡은 운전기사는 고객의 요구를 최대한 들어주는 것만이 보답이라 생각하는지 무섭게 액셀을 밟아댔다. 보통 때라면 극구 말렸을 어민이지만 뇌리에 불안한 생각만이 가득 피어오르고 있는 터라 오히려 더 재촉하지 못해 안달이었다.

택시가 남제천 톨게이트로 들어서자 어민의 조바심은 더욱 깊어졌다. 그간도 수십 번이나 휴대폰 버튼을 누르면서 불안감이 더욱 커졌던 터라 택시가 요양원에 도착하자마자 어민은 뛰어내려 다짜고짜 당직실 문을 박차고 들어갔다.

"누구요?"

간이침대 위에 누워 있던 숙직자는 어민의 급한 얼굴을 보자 놀라 일어났다.

"306호 할머니 어디 계세요? 방에 계세요?"

"306호? 아, 그 할머니!"

어민은 눈이 튀어나갈 정도로 숙직자의 얼굴을 응시했다.

"병원에 가셨어요. 갑자기 심장발작을 일으키셨어요. 전화

통화를 하시다."

"아까 내가 통화하고 있었어요. 그런데 정도가 심하세요? 어느 병원이에요?"

"서울병원, 제천 시내에 있는 종합병원이에요."

어민은 급히 바깥으로 나왔으나 택시는 이미 가버리고 만 후였다.

"여기 택시 빨리 불러줘요. 돈은 얼마든지 준다고 해줘요."

모친은 응급실에서 산소호흡기를 붙인 채 큰 숨을 들이쉬고 있었다. 심장의 발작이 가라앉았으면 잠이 들 만도 한데 모친은 눈을 이상할 정도로 커다랗게 뜬 채 멍하니 있다 어민을 보자 고개를 저으며 눈물을 줄줄 흘렸다.

"어머님, 이만하신 게 얼마나 다행인지 모르겠습니다. 의사가 고비는 넘겼다고 합니다."

모친은 간신히 손을 뻗어 움직이며 뭔가 의사를 표시하려 했지만 기운이 워낙 빠져 있는 듯 간신히 까딱거릴 뿐이었다. 어민은 모친의 손을 감아쥐며 편안히 쉬도록 하려 했지만 모친은 어민의 손바닥 안에서 계속 손을 움직여댔다. 어민은 직감적으로 모친이 뭔가 꼭 할 말이 있다는 걸 느꼈다. 어쩌면 누군가 모친을 극도로 화나게 했고 모친은 지금 자신에게 그 억울함을 호소하려 하는지 모른다는 생각이 들어 어민은 크

THAAD

게 소리 내어 물었다.

"제게 하실 말씀 있으세요?"

모친은 기다렸다는 듯 고개를 끄덕였다. 어민이 의사를 부르자 의사는 모친의 심전도 그래프를 보더니 호흡기를 떼게 해주었다.

"이제 말씀하십시오. 무슨 일이라도 있었습니까?"

"……아이가, 아이가……."

"네?"

"아이가……."

"네? 어머님!"

"내 아이가……."

"내 아이? 아이가 누구죠?"

"우리, 김 박사가……."

"김 박사? 아드님 말이군요. 아드님이?"

모친은 갑자기 가늘고 긴 울음을 터뜨렸다.

"주, 죽었…… 아, 으흐흑…… 죽었대……."

청천벽력이었다.

"어머님, 그게 무슨 말씀이세요? 김 박사님이 돌아가셨다고요?"

"……."

어민이 파악한 사정은 이러했다.

며칠 전 모친은 미국의 리처드 김으로부터 전화를 받고 최어민 변호사가 찾아왔으며 매우 좋은 분이더라는 얘기를 나누고는 기분 좋게 전화를 끊었다. 그리고 어제 리처드 김으로부터 전화가 다시 걸려왔는데 전화를 건 사람은 아들이 아니고 뉴욕경찰국 살인과의 잭슨 형사였다. 그는 리처드 김이 한국에 갔다 돌아온 지 얼마 안 돼 살해된 사실을 주시해 혹시 사인 분석에 도움이 될까 해서 어머니에게 전화를 걸었던 것이었다.

모친은 모든 기운을 잃은 채 꼬박 이틀을 거의 실신한 상태로 지내다 사흘째가 되어서야 겨우 일어났다. 그녀는 그때까지 모텔에서 기숙하며 기다리던 어민을 보자 마지막 기운을 다 모은 듯 휘청거리며 일어서더니 어민의 앞에 엎어지듯 무릎을 꿇었다.

"변호사님, 이 늙은이의 필생의 부탁입니다."

어민은 당황하여 모친을 잡았다.

"어머님, 어서 일어나십시오."

"아니, 나는 일어나지 않을 거예요. 변호사님이 내 부탁을 들어주겠다 맹세하지 않으면."

"일단 일어나십시오. 무슨 부탁이든 다 들어드릴 테니 일단은 일어나셔야 합니다."

"아닙니다. 반드시 이렇게 꿇어앉아 부탁을 드리겠습니다."

모친을 일으킬 수 없다는 걸 깨달은 어민도 마찬가지로 무릎을 꿇었다.

"저도 앉아서 듣겠습니다."

"변호사님, 제발 미국으로 가주세요. 가서 누가 왜 내 아들을 죽였는지 밝혀줘요. 변호사님이 승낙하시기 전에는 난 절대로 일어날 수 없습니다. 절대로요."

어민은 모친의 눈에서 활활 이는 불길을 보았다. 이 세상 어떤 말로도 모친을 일으킬 수 없다는 걸 깨닫기는 그리 어려운 일이 아니었다. 어민은 시원하게 예라고 대답하고 싶었지만 영어가 걸렸다. 영어를 유창하게 해도 외국에 가서 살인사건의 내막을 파헤치기란 지난한 일일 텐데, 자신의 회화 실력이 어느 정도인지 확인할 수 없어 엄두가 나지 않았다.

"왜 대답이 없으십니까? 내 아들이 정말 훌륭한 사람이라고 변호사님이 말씀하지 않았습니까? 그런데 왜 대답이 없으세요? 나는 이대로 앉아 죽습니다. 변호사님이 대답을 하지 않으시면. 이대로 죽는다고요."

어민은 눈을 질끈 감았다.

"가겠습니다. 미국으로 가겠습니다."

"그 약속을 문서로 써주십시오."

어민은 내친김에 모친의 요구대로 문서를 작성해 건네주고
는 모친을 일으켰다. 이미 대답을 했을 때부터 미국으로 가리
라 결심했던 터라 문서를 작성하는 데 거리낌은 없었다.

5

의외의 조언

모친을 퇴원시켜 요양원으로 옮긴 후에야 어민은 서울로 돌아왔다. 요양원으로 모시고서도 슬픔을 가누지 못해 큰일이라도 나면 어쩌나 걱정했지만 오히려 노인의 눈은 더 초롱초롱했다. 모친은 자신의 아들에 대해 자신이 알고 있는 것이라면 조그만 실오라기 하나 놓치지 않고 어민에게 전하느라 슬퍼할 겨를조차 없는 듯이 보였다.

"마음 같아서는 나도 건너가고 싶지만 이 몸으로 할 수 있는 게 없어요. 심장이 뛰고 어지러워 단 한 걸음도 옮길 수 없으니, 나는 그저 변호사님만 믿고 있을 수밖에 없습니다."

"알겠습니다. 아드님께 도대체 무슨 일이 일어났는지 샅샅이 조사해 돌아오겠습니다. 강도라든지 하는 범죄라면 어쩌면 그동안 범인이 붙잡혔을지도 모르겠습니다."

"하여튼 제발 부탁합니다. 변호사님만 믿고 기다릴게요."

모친에게 수없이 다짐을 하고 난 어민은 밤이 늦어서야 요양원에서 나와 서울로 돌아오는 심야열차를 탈 수 있었다. 다행스럽게도 어민은 다른 복잡한 법률관계 해석은 머리가 아팠으나 수사만큼은 크게 흥미를 느꼈기 때문에 차라리 살인사건 조사가 상사관계 같은 걸 따지는 일보다는 속이 편했다. 달리는 기차 안에서 어민은 리처드 김이 미국에서 죽임을 당할 수 있는 모든 경우의 수를 놓고 하나씩 짚어보기 시작했다.

단순한 살인강도일 가능성이 가장 높았지만 원한관계도 빼놓을 수 없는 중요한 원인 중 하나였다. 그러나 모친은 원한관계로 인한 죽음의 가능성에 대해서는 아예 생각조차 하지 않고 있었다.

— 우리 애가 누구와 다투거나 마음 상할 일 만들었을 리가 없어요. 어려서부터 싸움 한 번 하지 않고 큰 애예요.

다음으로는 치정이 있었다. 노모로부터 들은 바로는 리처드 김과 그의 부인은 모두 워커홀릭이었다. 서로 얼굴을 보고 살가운 정을 쌓을 시간이 많지 않았을 테니 다른 이성과 깨끗하지 않은 관계가 있을 수 있는 노릇이고, 그것이 위험한 청부로 발전했을 수 있다는 생각도 들었다.

— 며늘아이는 대단히 똑똑해요. 한번은 강도가 들었는데

물건이 흐트러진 위치랑 발자국만 가지고 범인의 몸집과 연령대를 정확하게 짚어낼 정도였으니까. 경찰보다 오히려 그 아이 말을 더 주의 깊게 들을 필요가 있을지 몰라요.

들은 대로라면 혐의가 있든 없든 부인과는 면밀한 대화가 필요할 것이었다. 미국에 도착하는 대로 부인과 가장 먼저 만나야겠다고 생각하며 어민은 며칠이나 제대로 붙이지 못한 눈을 감았다.

어민으로부터 리처드 김의 사망사건에 대해 듣고 난 미진은 일단 표정이 복잡해졌지만 어민이 미국에 가기로 했다는 말을 듣자 어처구니없다는 듯 비난부터 시작했다.

"아니, 정신이 있어요, 없어요?"

"……."

"범인이 잡혔다면 전화로 알아보면 그만이고 안 잡혔다면 가서 할 수 있는 게 뭐가 있겠어요?"

"……."

"게다가 그 사람이 세계은행 직원이라고요? 그런 빵빵한 직장에 다니는 사람이 죽었는데 검찰이든 경찰이든 손 놓고 있을 리가 있어요? 가서 할 일이 하나도 없는데 도대체 왜 그런 약속을 해요? 게다가 문서로 작성까지 해줬다고요? 어휴, 이런!"

미진은 내내 끌끌댔지만 어민이 실제 써볼 기회가 별로 없었던 영어로 떠듬떠듬 뉴욕경찰국과 계속 연락을 시도하는 걸 보자 속이 타는지 조롱과 도움을 섞으며 조금씩 관여하기 시작했다. 이전에 2천만 원이나 김 변호사에게 전하려던 걸 보고 나름의 흥미가 생긴 것인지, 그간 쌓인 정이라는 것이 있는 건지 한결 친근해진 말투였다.

"변호사라는 사람이 어떻게 이렇게 뭘 몰라. 서류부터 보내야죠."

그녀는 어민이 모친에게 써준 각서를 번역해 담당 형사에게 보내고는 현재까지 경찰이 보유하고 있는 정보의 공유를 요청했다.

마침 뉴욕경찰국에서는 한국의 정보가 필요하다고 생각하고 있던 참이라 즉시 현재까지 드러난 사실에 관한 간단한 보고서를 보내왔다. 팩스로 날아온 문건을 미진이 먼저 집어들었다.

보고서를 훑어보던 미진은 무슨 의미인지 고개를 가로저었다. 입가 한쪽을 잔뜩 일그러뜨린 채 혀를 차는 것이 마치 간단한 사건이 아니야. 당신 정도가 해볼 수 있는 건 없어! 라고 말하는 것 같은 얼굴이었다.

"오톱시 결과 후두부 총상이 결정적 사망 원인이래요. 권총인데 구경이 작은 걸로 보아 근접 거리에서 후두부에 총을 대고 쏜 걸로 보인대요."

"사망 장소는요?"

"직접 봐요."

미진이 보고서를 내밀며 말했다. 이번엔 이런 정도도 해독하지 못하면서 미국으로 간다는 게 말이나 돼! 하는 얼굴이었다. 어민이 보고서를 받아 갸웃거리자 미진이 보고서를 낚아채서는 손가락으로 해당 부분을 가리키며 말했다.

"길거리 모퉁이예요. 장소로 보아 뒤에서 따라오다 인적이 드문 쪽으로 모퉁이를 돌아서자마자 총을 꺼내 머리를 쏜 거죠. 휴대폰 말고는 사라진 게 없으니 단순한 강도가 아녜요."

그러고 보니 미진은 어민이 영어 실력조차 제대로 갖췄을 리 없다고 여기고 있는 듯했다.

"범인의 윤곽은 나왔대요?"

"이 보고서대로면 경찰은 전혀 감을 못 잡고 있어요. 발견된 증거도 없고 목격자도 없고. 시간이 엄청 걸리거나 아예 미제로 갈 사건이에요. 그러니 미국에 가봐야 소용없어요."

"……"

"가서 리처드 김의 모친에게 사정을 설명하고 미국에 가기로 한 다짐은 취소해요. 돈을 안 받았으니 배상 책임은 없어요."

"……"

"망설일 일이 아녜요. 한국에서 누가 가도 관여할 수 없어요. 아니, 그 전에 뉴욕 경찰도 아는 게 없어요."

어민이 대답을 하지 않자 미진은 비꼬는 표정으로 한 마디 했다.

"최 변호사님이 미국에 가서 권총 차고 범인 잡으러 다니려 고요?"

"아니, 그게 아니에요. 내가 못 간다 하면 어머님은 쓰러지실 거예요. 어쩌면 죽음에 이를 수도 있어요."

"그러니 빨리 관계를 정리하란 말이에요."

어민을 계속 몰아붙이던 미진은 김 변호사가 문을 열고 들 어오자 잘됐다는 듯 모친의 심야 전화에서 뉴욕경찰국의 보 고서, 무엇보다도 어민이 모친과 했던 약속까지를 고자질하듯 설명했다. 여느 때와 다름없이 무심한 표정으로 창 너머 하늘 에 시선을 던지고 있던 김 변호사는 미진이 말을 마치자 거짓 말처럼 한 마디를 던졌다.

"피살된 의뢰인이 세계은행에서 근무했다고 했나?"

"네."

"예."

어민과 미진이 동시에 대답했다. 그만치 두 사람은 김 변호 사가 보인 뜻밖의 관심에 놀라고 있었다.

"이름이 뭐라 그랬지?"

"보통은 리처드 김이라 그러는데, 모친 말씀이 때로는 김철수라는 이름도 쓴다 합니다."

"한국에서는 김철순가?"

"아니, 한국에는 거의 오지 않는데 삼사 년 전부터 미국에서 두 가지 이름을 다 썼다고 했습니다."

"그래서 미국에 가려고?"

"네, 가려 합니다. 성과가 없다 하더라도 모친을 생각하면 여기 그냥 있을 수만은 없습니다. 또 저는 변호사로서 각서를 썼습니다."

"모친을 면회하는 조건으로 3천만 원을 받았다 했나?"

"네."

"퍼스트클래스를 타고 가게."

"네?"

"비행기 좌석 말일세."

놀란 건 어민만이 아니었다. 미진 역시 눈이 휘둥그레져 반사적으로 물었다.

"변호사님, 퍼스트클래스는 천만 원도 넘어요. 3년간 실업자로 지내던 최 변호사님에게 퍼스트를 타라니요? 아, 가지 말란 말씀이시죠?"

미진은 김 변호사의 진의를 알았다는 듯 고개를 끄덕였다.

"미진아, 최 변호사가 2천만 원 내놓았다 그랬지? 그걸 돌려줘라. 그리고 자네는 먼저 모친으로부터 변호사선임계를 받아

의외의 조언

세계은행에 보내고, 비행기는 반드시 퍼스트클래스를 타게."

김 변호사는 그렇게 몇 마디를 던지고는 다시금 눈길을 창 밖 하늘에 두었는데, 이상하게도 그의 말에는 거역할 수 없는 힘이 있었다.

"가서 무엇을 하면 되겠습니까?"

"……."

며칠 후 여행 채비를 마치고 몇 시간이나 사무실에서 기다 리던 어민이 이윽고 나타난 김 변호사에게 미국에 가서 할 일 을 물었으나 김 변호사는 대답이 없었다.

"지시하신 대로 좌석은 퍼스트클래스로 예약했습니다."

"……."

어민은 김 변호사가 여전히 대답을 하지 않자 허리를 숙였 다.

"그럼 다녀오겠습니다."

어민이 김 변호사 앞을 물러나자 오히려 미진이 어민을 걱정 하고 나섰다.

"너무 깊숙이 관여하지 말고 그냥 갔다 온 흔적만 남겨요."

"관심과 애정 고마워요."

"현지 물정도 잘 모르는 채로 괜히 가서 헛물만 켤까 봐 그 래요. 어쨌든 가서 흉내만 내고 와요. 간 김에 나이아가라 폭포라도 좀 다녀오든가."

어민은 마지막으로 김 변호사에게 가볍게 고개를 숙여 인사를 하고는 문을 열고 사무실 밖으로 나섰다. 이제부터 혼자 물설고 말 선 미국으로 가 뭐라도 해내야 한다는 생각에 불안감이 밀려왔지만 이상하게도 그 불안감의 한편에서는 정체 모를 패기와 용기가 솟아나고 있었다.

태어나서 처음 타는 비행기의 좌석이 퍼스트클래스인 사람이 세상에 얼마나 될까. 어민은 고작 열몇 시간 비행에 눈물 나게 아까운 1,200만 원을 지불하고 앉아 흘러가는 1분 1초를 꼬박꼬박 세고 있었다.

"갈아입으실 편한 옷입니다. 내리실 때 가져가셔도 됩니다."

퍼스트클래스는 통로의 좌우로 두 자리씩 모두 네 열이 있었다. 나머지 자리 대부분이 비어 있는 것이 자신이 얼마나 큰 호사를 누리고 있는지를 다시금 일깨워주었다. 울상을 짓고 있던 어민은 문득 손을 들어 허공을 잡았다. 1분 단위로 이리저리 날아가며 흩어지는 수만 원의 지폐들이 너무나 아까워 한번 움켜쥐어본 것이었다. 고작 천 원짜리 몇 장이 없어서 택시조차 잡지 못했던 그였다.

'김 변호사님은 왜 굳이 퍼스트클래스에 타라고 하신 걸까?'

모로 가도 똑같이 도착하고 마는 항공편에 천만 원이 넘는 돈을 쓰라고 한 이유는 아무리 생각해도 알 수 없었다. 더 큰 의무감을 가지라는 동기부여일까, 고작 그런 걸 위해 이 큰돈을? 곧 어민은 김 변호사의 내면에 생각이 미쳤다. 그는 마치 유령처럼 사는 사람이었다. 자신의 사무실이지만 미진에게 맡겨두고 자신은 아무 일도 하지 않으면서 마치 남의 사무실에 잠시 들르는 사람처럼 와서는 아무 말 없이 창 너머로 하늘이나 쳐다보고 가는 사람. 그에게 어떤 사정이 있는지 모르지만 누가 봐도 그는 정상이 아니었다.

'병이 있는 게 틀림없다!'

한번 이렇게 생각되자 어민은 묘한 죄책감이 일었다. 서울에 있을 때 미리 생각했더라면 병원에라도 모시도록 설득 한 번쯤 해볼 수 있었을 텐데. 태도야 어찌 되었든 그는 아버지를 제외하고는 자신에게 은혜를 베풀어준 단 한 명의 은인이었다. 돌아가면 꼭 사정을 알아보리라, 그렇게 주먹 쥐고 결심하는데 문득 스튜어디스의 사근사근한 목소리가 들렸다.

"먼저 샴페인 한 잔 하시겠습니까?"

샴페인으로 시작된 기내 서비스는 비행기가 이륙하고 동해상으로 나가자 본격적으로 제공되었다. 애피타이저로 시작해서 디저트까지 이어지는 식사는 두 시간 정도 계속되었고 라벨만 봐도 수준이 있어 보이는 와인과 위스키가 원하는 대로

THAAD

제공되었다.

"라면에 스카치 스트레이트 한 잔이 별미인데 잠이 안 오시거나 중간에 깨시면 언제든 말씀하십시오."

친절한 스튜어디스의 인사를 끝으로 잠이 든 어민은 과하게 마신 와인 때문인지 실내에 불이 환하게 켜지고 스튜어디스가 분주하게 다니는 소리가 들릴 즈음에야 잠에서 깼다.

"마지막 식사 서비스입니다."

타고 있는 내내 먹을 것이 주어지고 아무 때라도 원하면 각종 술과 안주가 제공되어 유쾌한 기분을 만끽하다가도 어민은 종종 한숨을 쉬었다. 이 알 수 없는 호사가 자꾸 마음의 짐을 더해오는 탓이었다.

"감사합니다. 손님. 다음에 또 모시게 되기를 기다리겠습니다."

퍼스트클래스 전용 출구를 통해 내린 어민은 가장 앞에서 당당하게 걸어나왔다. 그러나 푸근한 여행은 여기까지가 끝이었다. 어민은 뉴욕 공항의 입국심사대 앞에 섰을 때부터 곤욕을 치러야 했다.

"미국엔 왜 온 거요?"

어민은 깊은 심호흡을 한 번 한 뒤 자신의 생사여탈권이라도 쥐고 있는 듯이 느껴지는 그 입국심사관을 향해 잘 나오지 않는 영어로 일장 연설을 시작했다. 자신은 변호사로서 피살자 어머니의 의뢰를 받아 미국에 살인사건을 조사하러 왔다, 라는 내용이었다. 경악한 심사관은 상기된 얼굴로 급히 인터폰을 들어 사무실의 전담 요원을 불러낸 뒤 어민이 얼마나 특별한 요주의 인물인지를 설명했다.

"난 변호사라니까요, 살인사건을 조사하러 온 변호사. 용의자가 아니라 변호사."

한 시간 가까이를 고생하며 신원 조회를 마치고 나서야 겨우 입국 허가 스탬프를 받고 빠져나온 어민은 백이면 백 사람이 모두 '관광'이라는 한 단어만 대고 너무도 쉽게 심사대를 통과하는 것을 보고서 쓴웃음을 지었다.

짐을 찾아 세관을 통과한 후 밖으로 나오자 그나마 부근에 있던 한국인들은 모두 흩어지고 혼자가 되어버린 어민은 어리병병하여 주변을 두리번거렸다. 뉴욕을 방문한 적이 있다는 미진이 사전에 가르쳐준 대로 시내로 가는 버스를 타려 했으나 버스들은 종류도 많고 서는 곳도 다 달라 그리 편하게 탈 수 있을 것 같지가 않았다. 당장 눈앞에 택시 정류장이 있긴 했으나 요금이 얼마나 나올지 모르는 택시를 함부로 잡아탈 용기도 나지 않아 어민은 잠시 어떻게 해야 할지 모르고 망설였다.

"최어민 변호사시죠?"

어민은 갑자기 다가온 두 사람의 잘생긴 미국인들이 자신을 알아보며 미소를 짓자 흠칫 놀랐다.

"아, 네. 맞습니다. 그런데 누구?"

"기다렸습니다. 퍼스트클래스를 타셨다고 해서 가장 먼저 나올 줄 알고 있었습니다."

"아, 퍼스트클래스를 탄 것은 맞는데, 사정이 좀. 그런데 내가 오는 줄은 어떻게 알고요?"

"저희는 의전만 담당해 그건 모릅니다. 회사에서 지시해 따를 뿐입니다. 가시죠, 호텔로 모시겠습니다."

"회사라면?"

"세계은행입니다."

어민은 세계은행에서 공항까지 마중을 나왔다는 사실에 어리둥절하면서도 반가웠다. 곧 간단히 인사를 한 뒤 지갑을 꺼내 한국에서 예약해 둔 맨해튼의 싸구려 호텔 정보를 전달하려 하자 두 사람은 손을 내저었다.

"호텔은 회사에서 지정해 두었습니다. 계산도 회사에서 할 겁니다."

한국에서 변호사선임계를 보내둔 건 상당히 쓸모가 있었다. 어민은 이들이 이럴 정도면 회사에서의 미팅도 순조로이 진행될 거라는 생각에 마음이 한결 편해졌다. 자동차에 탄 후 어민은 궁금했던 걸 먼저 물었다.

"제가 올 거라는 사실과 이 항공편을 탔다는 사실은 회사의 누가 알려줬습니까?"

"의전부서에 요청이 오면서 전달받았습니다."

"누구의 요청인지는 모르나요?"

"개인이라기보다는 부서에서 요청이 옵니다. VIP가 오니 공항 서비스를 하라, 호텔 제공을 하라 등등 손님에 따라 서비스의 종류도 다르고 의전도 다릅니다."

"어느 부서의 요청인지는 알 수 있을 것 같은데요."

"알고 있습니다. 기축통화개선본부입니다."

"기축통화개선본부요?"

"네, 오늘 하루 쉬시고 내일 아침 9시 기축통화개선본부로 모시라는 지시를 받았습니다."

"기축통화개선본부는 뭘 하는 부서죠?"

"각 부서의 업무에 대해서는 잘 알지 못합니다."

"리처드 김이 거기서 일했나요?"

"죄송합니다. 그 또한 잘 알지 못합니다."

의전직원들은 자신들이 지시받은 외에는 아는 게 없었다. 아니 어쩌면 알지만 대답을 하지 않는지도 몰랐다.

어민은 자동차가 멈춘 호텔 앞에서 적잖이 놀랐다.

월도프 아스토리아.

뉴욕에 오기 전 펴들었던 여행안내 책자를 화려하게 장식하고 있던 바로 그 호텔이었다.

"아, 이 호텔 맞아요?"

"네, 틀림없습니다."

어민은 덜컥 겁이 나 물었다.

"여기 계산은 되어 있나요?"

"물론입니다. 회사에서 다 부담합니다."

"내가 내야 할 돈은 분명히 없어요?"

"전혀 없습니다. 숙박비부터 식음료와 서비스까지 모두 회사로 청구됩니다."

"세계은행을 찾아오는 모든 사람들에게 이 호텔이 제공되나요?"

"천만에요. 오로지 극소수에게만 무료 숙박이 제공되는데, 그중에서도 아주 극소수에게만 이 호텔이 제공됩니다."

"하, 내가 극소수 중의 극소수라고요? 그 기준은 뭐죠?"

"국제선 비행기의 경우 어떤 클래스를 타고 오느냐입니다. 아시아에서 오시는 방문객들의 경우 퍼스트클래스를 타고 오시면 우리 의전팀에서는 이 호텔로 모십니다."

필요 이상으로 묻는 어민의 질문에 성실히 대답한 의전직원들은 능숙하게 체크인 절차를 마무리 짓고 어민을 방으로 안내했다. 어민은 볼품없는 자신의 가방이 초라하게 여겨졌지만 의전직원들은 자신이 퍼스트클래스를 타고 왔다는 사실 하나로 모든 평가를 이미 끝마친 듯했다.

어민은 태어나 처음 묵는 호화로운 호텔방에서 이상한 기분을 느끼고 있었다. 왠지 자신이 상당히 중요한 신분의 인사가 된 듯한 기분도 들고 이런 대접이 당연하다는 착각까지도 드는 것이었다. 결코 자신이 변호사이기 때문은 아니었다. 미국에는 수도 없이 많은 변호사가 있고, 그것은 결코 대단한 신분이 아니었다.

'퍼스트클래스 때문이다!'

오로지 그것만으로 의전직원이 공항에 나오고 최고급 호텔을 제공했다. 아마도 앞으로 세계은행에서 자신을 대하는 태도 또한 이에서 크게 벗어나지 않을 것이었다. 어민은 한국과 아무 때나 통화할 수 있도록 휴대폰을 조정한 후 노트북을 폈다. 이 대단한 사건을 어디에 알려야 할까 잠시 생각하던 그는 곧 미진의 메일 주소를 쳐넣었다.

홍변!

놀랍게도 특급 호텔에 무료로 들었어요. 세계은행에서 준비를 해두었고 그것은 내가 타고 온 퍼스트클래스 좌석 때문이래요. 그게 이곳에서의 내 처우를 결정지었어요. 편한 여행은 물론, 더없이 유리한 조건에서 사건을 살펴볼 수 있게 되었다고요. 여태까지 어디서도 어깨를 펴고 다니지 못했는데, 이 세상의 중심이라는 뉴욕에서 최고의 대우를 받고 있

다니, 무엇이든 자신 있게 덤벼볼 수 있을 거란 생각이 들어
요. 퍼스트클래스, 비록 마음만이지만 그게 나를 자신만만
한 일류 변호사로 만들었어요!
또 연락할게요.
_월도프 아스토리아에서, 최.

저 스스로도 뭐라는 내용인지 모를 메일을 쓴 어민은 편한
옷으로 갈아입고 호텔을 나섰다. 무료로 제공되는 훌륭한 룸
서비스나 고급 식당에서의 정찬보다 밖에 나가 햄버거든 샌드
위치든 사먹어보고 싶은 기분이 들었던 것이다. 어민은 5번가
를 따라 천천히 맨해튼의 거리를 걸었다.

퇴근시간이라 그런지 많은 사람들이 분주히 걷기도 하고 각
종 탈것을 이용해 이동하고 있었다. 모두가 더없이 자유로운 표
정이었고 무질서하게 넘쳐나는 인파들 사이에서는 묘한 질서
의 물결이 느껴졌다.

뉴욕 티본스테이크 14온스 겨우 8달러

어민은 비슷한 내용이 쓰인 입간판을 여러 개 지나치다 그
중 한 식당으로 들어섰다. 불에서 막 구워낸 큰 스테이크에 큰
콜라까지 10달러가 채 안 되는 걸 보고 놀란 어민은 거스름돈

을 자신도 모르게 종업원에게 팁으로 줘버리고는 자리를 골라 앉았다.

스테이크는 육질이 연해 다시 한 번 어민을 놀라게 했고 주변에서 식사를 하는 가난해 보이는 사람들도 모두 눈이 마주치면 웃어 보여 어민은 식사하는 내내 기분이 좋았다.

식사를 마친 어민은 지도를 꺼내 센트럴파크를 목표로 잡고 걸음을 옮겼다. 사람들은 간혹 부딪칠 뻔하다가도 곧잘 멈추거나 피해주어 어민은 복잡하기 짝이 없는 사람들의 물결 속에서도 편하게 걸을 수 있었다. 뉴욕에 온 지 불과 몇 시간이 지났을 뿐이지만 어민은 이 거대한 도시가 빠른 속도로 좋아지는 걸 느낄 수 있었다.

6

미궁에 빠진 사건

다음 날 아침 약속시간이 되자 의전직원들은 정확히 호텔 로비에서 기다리고 있다가 기다란 리무진에 어민을 태운 후 목적지를 향해 미끄러지듯 달렸다. 얼마 달리지 않아 리무진은 한 빌딩 앞에 멈췄고 차에서 내린 어민의 눈에는 각종 뉴스를 통해 오래도록 보아온 글자가 들어왔다.

IBRD. 의전직원들은 현관에서 기다리고 있던 한 중년 남자에게 어민을 인계했다. 어민은 어깨를 쭉 펴고 손을 내밀어 그와 악수를 나눴다.

"저는 맥 케이건, 세계은행의 고문변호사 중 한 사람입니다. 여행은 힘들지 않으셨어요?"

"괜찮았습니다."

케이건은 정중한 태도로 어민을 안내해 엘리베이터에 탔다.

"리처드 김의 일은 매우 안됐습니다. 극히 우수한 직원이었는데."

"두 분이 평소 알던 사이인가요?"

"직접은 모릅니다."

내막이 어떤지는 몰라도 케이건이 쓴 '직접'이라는 단어에서는 리처드 김과의 개인적인 연결고리를 딱 잘라버리는 분위기가 느껴졌다. 초고속 엘리베이터가 멈춘 층에는 정복을 입은 경비원이 기다리고 있다가 어민의 신분증을 받고는 방문패를 내줬다. 열 걸음쯤 더 가 다시 한 번의 출입 체크를 거친 후 어민은 '기축통화개선본부'라 쓰인 사무실에 들어설 수 있었다.

"본부장님이 기다리고 계십니다."

케이건은 어민을 회의실로 안내했고 거기에는 정장을 말끔하게 받쳐입은 오십대 초반의 신사가 어민을 기다리고 있다 일어나 손을 내밀었다.

"딜런이오."

어민은 명함을 교환하고 딜런이 안내하는 자리에 앉았다.

"우선 리처드가 당한 사고에 대해 깊은 조의를 표합니다. 리처드는 정말 훌륭한 동료이자 리더였어요. 게다가……."

어민이 갑자기 손을 들어 말을 제지했기 때문에 딜런은 적잖이 놀란 눈치였다.

"저기, 부탁인데."

딜런과 케이건이 날카롭게 주시하자 어민은 한껏 편안한 미소를 지으며 말했다.

"말을 좀 천천히 해줄 수 없을까요?"

딜런은 고개를 끄덕였지만 어딘지 떨떠름한 표정이었다. 한국에서 퍼스트클래스를 타고 온 최고의 변호사가 말을 천천히 해달라고 하는 것을 어떻게 받아들여야 할지 몰랐지만 요청대로 말하는 속도를 늦췄다.

"게다가 그는 조국에 대한 애정과 모친에 대한 정성이 극진해 우리는 그로부터 정신적으로 많은 걸 배우고 있었습니다."

딜런 본부장은 리처드 김에 대해 제법 소상히 알고 있는 모양이었다. 이후로도 딜런은 여러 얘기를 하며 리처드 김의 죽음을 애도했다. 귀 기울여 그의 이야기를 다 듣고 난 어민은 품속에서 만년필을 꺼내서는 검지와 중지 사이에 끼워 현란하게 돌려 보이며 질문을 꺼냈다.

"그의 죽음이 사고사 같은 게 아니고 타살인 건 확실한가요?"

"그렇습니다."

"회사에서는 그가 살해당할 만한 이유가 있다고 생각하고 있습니까?"

"전혀 없어요. 그는 모두와 잘 지내고 있었고 누구와도 다툰

다든지 원한을 산다든지 하는 일이 없었어요."

"혹 짐작되는 개인적인 이유는 없습니까?"

"개인적 사정을 다 알진 못하지만 대체로 우리는 그가 누구와도 살인에 이를 정도의 원한이나 불화를 초래할 사람은 아니라는 강한 확신을 갖고 있어요."

"원한이 아니다? 부인과의 관계는 어땠나요?"

"수전 말이군요. 그녀는 대단히 능력 있는 여성입니다. 뉴욕 주립대의 수학과 교수인 데다 리처드와는 평소 사이가 무척 좋았어요. 이번 일과는 연관시킬 이유가 없습니다."

"혹시 두 사람 사이에 겉으로는 알 수 없는 어떤 문제의 소지가 있거나 하지는 않았을까요? 가령 낭비벽이라든지 제삼자로 말미암아 다툰 적이 있다든지 하는."

"리처드는 늘 연구에 열심이어서 여자를 만나거나 할 시간이 없었습니다. 시간이 남아돌아도 그럴 사람은 아니고요. 그리고 수전은 정숙한 여성입니다."

"정숙한 여성이라고 의심을 면제받을 수는 없을 것 같습니다. 만약 한평생 이상형으로 생각해 오던 사람을 갑자기 만났다든지, 혹은 사회적인 신분이나 도덕 때문에 남편과 사이가 좋은 척만 해왔다든지, 그런 경우도 있거든요."

딜런과 케이건은 서로를 마주 보았다. 이 가뜩이나 어눌해 보이는 변호사가 해오는 삼류 드라마 같은 이야기에 도무지 어떻게 대꾸해야 될지 모르겠다는 표정이었다.

"우리가 아는 한 두 사람은 아주 사이가 좋았어요. 물론 속으로는 건조할 수도 있었겠지만……"

어민은 정신없이 돌리던 만년필을 세우고 뚜껑을 뽑았다. 그리고 메모지를 꺼내 한글로 '치정'이라는 두 글자를 정성들여 쓰고는 다시 물었다.

"세계은행 연구원들의 이혼율은 얼마나 됩니까?"

"몇 퍼센트인지는 모르지만 좌우간 다른 회사보다 좀 높기는 할 것 같군요."

"그리 생각하시는 이유라면?"

"아무래도 연구량이 많기 때문입니다."

"평균적으로 부부간 사이가 그리 좋은 편은 아니란 말씀이군요. 그럼 기축통화개선본부는요?"

"네?"

"이혼율 말입니다."

"부서별로 치면 연구량이 더 많기는 합니다."

"리처드 김은 연구량이 어땠지요? 다른 연구원에 비해서요?"

"가장 많았을 겁니다."

"그럼 부인과 아주 사이가 좋았다고 단정할 수는 없겠군요."

"연구량이 많기 때문에요? 세상에, 그러면?"

케이건이 신음을 흘리며 외치려는 순간 딜런이 크게 고개를 끄덕이며 그의 말을 잘랐다. 그냥 맞장구를 쳐주는 것이 낫다는 관록의 판단이었다.

"듣고 보니 함부로 판단해서는 안 되겠다는 생각이 듭니다."

"뉴욕경찰국의 보고서에는 강도라든지 하는 범죄가 아니라고 했고, 두 분의 말씀을 들으니 원한일 가능성도 적어요. 어쩔 수 없이 치정을 진지하게 들여다보아야 합니다. 혹시 기분 나쁜 부분이 있었다면 이해 바랍니다."

딜런이 입가에 웃음을 머금었다.

"수전의 평소 성품을 알고 있는 우리로서는 간과하기 쉬운 부분이었는데, 많은 도움이 되었습니다. 하면 변호사님께서는 치정사건일 가능성이 가장 높다고 생각하시는군요?"

"하지만 이게 치정사건이라고 보기에도 좀 애매한 부분이 있어요. 치정일 경우는 보통 청부살인으로 이어지는데, 대개는 강도를 가장하거든요. 의심을 피하기 위해서 말입니다."

어민의 말이 끝나기 바쁘게 케이건이 물었다.

"그럼 뭐란 말이죠?"

"아직은 판단 보류입니다."

한 바퀴 뺑 돌아 다시 제자리로 돌아와버린 어민의 결론에 두 사람은 어딘지 다소 화가 난 표정이었다. 딜런이 몸을 약간 뒤로 젖히며 말했다.

"여하간 회사에서는 경찰과 긴밀하게 연락하고 있습니다. 총 재님께서도 경찰국장을 만나 면밀하게 수사해 달라고 특별히 당부하셨으니 경찰에서는 할 수 있는 최선을 다하고 있을 겁니다. 리처드 김은 김용 총재가 데리고 온 분입니다. 원래는 다트머스대학에서 화폐학을 강의하던 교수였죠."

어민은 세계은행 총재가 한국인인 걸 떠올렸다. 딜런은 김용 총재와 리처드 김과의 관계를 언급하며 다시 한 번 경찰 조사가 엄중히 진행되고 있다는 분위기를 전했다.

"그건 다행이군요."

그것을 끝으로 세 사람 사이에는 한참 오가는 말이 없었다. 총재와 국장을 언급한 딜런의 말은 곧 어민에게 당신이 할 일은 아무것도 없소! 라고 외치는 것에 다름 아닌 탓이었다. 이런 딜런의 의도를 아는지 모르는지 다시 만년필만 열심히 돌리던 어민은 의뭉스레 입을 열었다.

"그런데 리처드 김의 어머니께는 봉급과 연금 외에 위자료 같은 돈이 지불되나요?"

케이건이 기다렸던 말이라는 듯 즉각 대답했다.

"물론입니다. 위자료 말고도 여러 명목으로 지급되는 돈이 있습니다. 하지만 모든 지급은 어느 정도 사건의 윤곽을 잡은 후 이루어집니다."

"세계은행과 제가 사인에 대해 합의해야 한다는 뜻인가요?"

"그게 아니고, 경찰이나 검찰에서 어느 정도 결론을 내려야 지급할 돈의 명세가 결정된다는 뜻입니다."

"담당 수사관을 봐야겠어요."

어민은 볼일을 다 봤다는 듯 일어섰다. 딜런과 케이건은 여전히 유감스럽다는 태도를 유지하고는 있었지만 이 한국에서 온 변호사가 결국은 별반 어렵지 않게 다루어질 것 같다는 사실에 대해 기분이 좋은 듯한 표정이었다.

"필요한 도움이 있으면 언제든지 말씀해 주세요. 그리고 호텔은 가시는 날까지 저희가 비용처리를 하겠습니다."

"경찰국에 가려고 하는데 혹시 한 분이 동행해 줄 수는 없을까요?"

딜런의 시선이 케이건을 향하자 케이건은 얼른 고개를 끄덕였다.

"아, 네. 제가 갈게요."

딜런은 엘리베이터가 도착하자 악수를 나눈 후 마지막까지 유감스럽다는 표정으로 어민을 배웅했다.

뉴욕경찰국 살인과의 잭슨 형사는 사십대 후반의 고참 형사였다. 나이에 비해 비교적 일찍 이맛주름이 깊숙이 파인 그는 케이건으로부터 어민을 소개받자 환영하는 얼굴이었다.

"이 사건은 두 가지 중 하나요. 아직 다른 수사관들은 감을 못 잡은 모양이지만"

담배가 한 번도 담긴 적 없는 파이프 담배를 꺼내어놓은 잭슨은 낮은 목소리를 꺼냈다.

"하나는 강도가 미처 지갑을 찾아내지 못했을 뿐, 실제로는 강도사건일 가능성이오."

"호오."

"원한도 치정도 없이 깨끗한 사람이 총을 맞아 죽었다면 그건 강도지."

어민은 잭슨의 말을 메모지에 적어넣었다. 잭슨은 그런 어민의 태도를 보며 더욱 나직한 음성을 이었다.

"엉겁결에 살인을 저지르고 당황한 강도는 지갑을 찾으려고 리처드 김의 몸을 뒤졌지만 속주머니 깊숙이 있는 지갑을 찾지 못하고, 그나마 돈이 될 법한 휴대폰을 훔쳐 도망갔다. 그런 이야기요. 허벅지에 긁혔는지 찢겼는지 작은 상처가 있는데 강도가 몸을 거칠게 이리저리 뒤집느라 생긴 거지."

과연 뉴욕 경찰이란 드라마에서 보던 것 같은 날카로움이 있어 탄복했다는 듯 연신 고개를 끄덕이며 열심히 듣던 어민이 물었다.

"그의 지갑은 어디에 있었죠?"

잭슨은 게슴츠레 뜬 눈으로 잠시 서류를 뒤져보다가 그 부분을 발견했는지 대답했다.

"주머니에 있었소."

"주머니엔 또 어떤 것들이 있었을까요?"

"지갑. 지갑. 음 그러니까 지갑이랑……."

"휴대폰?"

"휴대폰."

"그랬군요."

서류를 몇 번 펄럭 소리를 내며 뒤집은 잭슨은 활짝 웃는 어민의 얼굴을 노려보았다.

"일리가 있어요. 주머니 속이란 참으로 복잡하고 비밀스러운 공간이니까. 그러면 아까 말한 또 하나의 가능성은 뭡니까?"

"이 사람이 피살 직전 한국에 갔었다는 거요."

"한국에?"

"리처드는 한국에서 돌아와서도 평소와 전혀 다름없이 행동했소. 이상한 점이라고는 조금도 없었소. 그렇다면 문제는 역시 그 한국행이오. 게다가 그는 한국으로 가기 전 거액의 예금을 찾았소. 5만 달러를."

"흠."

"그는 5만 달러를 모두 현금으로 찾아 그 돈을 소지하고 비행기를 탔소. 회사에는 3일간의 짧은 휴가를 내고 말이오. 그렇다면 평소와 다른 어떤 일인가가 그에게 생긴 거요. 알겠소? 거액의 현금과 장거리 여행. 이거야말로 범죄의 전형적인 구성

THAAD

요소요. 그는 한국에서 이 돈을 다 쓰고 돌아왔소. 왔다갔다 비행기에서 보낸 시간을 빼면 그는 한국에서 단 하루를 보냈을 뿐이오. 세상에 사람이 하루 만에 5만 달러를 쓸 수 있는 일이 뭐가 있소?"

"그 돈은 내가 받았어요."

잭슨의 부릅뜬 눈이 더욱 커졌다.

"무슨 얘기요? 그가 죽기 전에 변호사를 선임했다고? 자신이 죽을 걸 알고?"

"그게 아니라, 그는 효자라 어머니의 요양원에 비용을 지불하고 어머니께 용돈을 드린 후 나머지 3만 달러를 다 내게 주었단 말이오. 어머니를 자주 면회하면서 잘 보살펴달라는 의미로."

"잠깐! 3만 달러라고?"

"그래요."

"어머니를 보살펴달라고 3만 달러를 주었단 말이야? 그래, 바로 그게 이상한 점이지. 죽기 직전 3만 달러라는 거액을 변호사에게 주었다. 고작 면회를 가달라고?"

잭슨은 의심이 가득한 눈초리로 어민을 쏘아보았다.

"그러니까 정리하면, 리처드 김이 한국에서 범행을 저질렀고, 3만 달러를 받은 공범인 내가 미국까지 퍼스트클래스를 타고 날아온 거군요. 그의 범죄를 비호하러."

"그럴 수 있지."

기세 좋게 외친 잭슨은 어민을 조사해 보라는 지시라도 하려는지 주위에 손짓을 하다 어디엔가 생각이 미친 듯 갑자기 멈칫하고는 손을 내저었다.

"퍼스트클래스를 타고 왔다고 했소?"

퍼스트클래스의 가격이 3만 달러라는 돈의 절반 가까이였으니, 범죄를 공모하고 그 대가를 항공료로 다 쓸 턱이 없다는 생각이 들었는지, 잭슨은 제자리에 털썩 앉으며 다소 풀죽은 목소리로 사과했다.

"아, 내가 좀 심했소. 사과하겠소."

어민은 개의치 않는다는 듯 고개를 저었다. 그러나 오히려 잭슨이 크게 의기소침했는지 여태까지와 달리 한숨을 섞은 목소리로 말을 이었다.

"다행히 사정을 알려주어 혼선이 생길 뻔한 걸 막아주었소. 그런데 한국에서의 행적마저 의심스러운 게 없다면 큰일이오. 범인이 전혀 흔적을 남기지 않았으니. 제기랄, 빨리 뉴욕 시내 모든 거리에 감시카메라를 다 깔아야 하는데, 시의회에서 예산을 안 내놓으니 참!"

"그러니까 장소는 인적이 드문 길거리 모퉁이, 없어진 건 오로지 휴대폰, 지문 같은 건 남기지 않았고, 머리에 대고 총을 쏘았다. 이게 전부라는 거군요?"

THAAD

잭슨이 내놓은 건 한국에서 공문으로 받은 바와 다를 것이 하나도 없는 이야기뿐이었다.

"그렇소."

"총소리를 들었다는 사람도 없어요?"

"없어요. 본 사람도 들은 사람도 없소. 8밀리짜리 총이라 소리도 원체 작고, 알다시피 밤늦은 맨해튼 거리에는 인적이 거의 없으니 목격자가 없는 것도 무리가 아니오. 소음기를 썼을지도 모르는 일이고."

"휴대폰은 왜 가져갔을까요?"

"글쎄, 요즘 휴대폰 가져가는 건 유행이니, 뭐 특별한 이유가 있겠소?"

"통화 기록 조회는 다 해봤어요?"

"의심스러운 인물은 하나도 없었소."

잭슨은 자신이 세운 두 가지 가정을 다 잃은 이후 이미 의욕을 잃고 있었다.

"뒤질 수 있는 건 다 뒤졌소. 세계은행 총재라는 거물이 직접 국장님께 부탁했으니 할 수 있는 건 다 했단 얘기요. 베테랑 형사만 여섯이 수사팀에 들어왔소. 휴대폰 통화자는 말할 것도 없고 소매 한 번 스친 사람도 다 조사했소. 그러나 의심 가는 인물도 범행을 유발할 만한 동기도 전혀 찾을 수 없었소."

"그러면?"

"못 잡아요. 아무런 증거도 없어. 내가 헛물만 들이켰던 거지. 뉴욕 시내에 아무 이유도 없이 사람 죽일 놈만 수천에, 잠재적 범법자로 볼 부랑자까지 수만이오. 어쩌다가 다른 사건으로 잡힌 놈이 여죄를 자백하다 나오는 경우가 아니면 그냥 이대로 끝나는 거요."

"그렇겠지요……."

어민은 말끝을 흐리며 자리에서 일어났다. 뭔가 새로운 단서가 있을 거라는 기대는 완전히 무산된 거나 마찬가지였다. 간단한 이야기를 몇 마디 더 나눈 뒤 잭슨과 악수를 하고 어민은 경찰국을 나와버렸다.

— 수전 말이오? 그녀는 없소.

수전이 재직한다는 뉴욕주립대의 캠퍼스를 걸으며 어민은 그녀가 여행을 떠났다는 잭슨의 말을 떠올리고 있었다. 부인이 남편의 살인사건이 발생한 직후 여행을 떠났다는 것은 어민의 정서로는 무척이나 이상한 일이었으나 잭슨은 별다를 것 없다는 듯 대꾸했었다.

— 그녀는 너무나 확실한 알리바이가 있소. 리처드가 살해당하던 날 이타카의 코넬대학에서 하루종일 세미나를 했으니. 참가자들 수십 명의 증언이 일치해요.

— 연락은 되나요?

— 아니, 휴대폰의 전원을 꺼놓았소.

수전의 연구실이 있는 수학과 건물로 들어간 어민이 신분을 밝히자 직원은 한 교수에게로 어민을 데려갔다. 책이 빼곡 꽂혀 있는 자그마한 연구실에서 책상에 앉아 뭔가 작업을 하고 있던 중년의 남성이 어민을 악수로 맞았다.

"케빈 교수예요. 리처드의 일은 참 유감입니다."

"잘 아는 사이였던 모양이죠?"

"그럼요. 한 학기에 한두 번씩은 만나곤 했어요."

"부인이 많이 힘들어하는 모양입니다. 아마 뉴욕을 떠나 다른 곳으로 바람이라도 쐬러 간 것 같은데, 학교에는 어디로 간다든지 하는 얘기가 없었을까요?"

"아무런 얘기도 없었어요."

"그럴 리가? 학기 중인데 아무 말도 없이 떠났다는 말인가요?"

"떠났는지는 몰라도 어쨌든 학교에는 아무 말도 없었어요. 리처드가 죽고는 나오지 않았어요. 걱정이 돼서 저와 다른 교수 하나가 집에 찾아가 보았는데 문이 잠겨 있더군요."

"혹 부인 쪽에 무슨 동기가 있진 않았을까요?"

"동기?"

"네, 살해 동기 말입니다."

"우리 모두는 지금 수전을 걱정하고 있습니다."

케빈 교수는 도대체 무슨 뚱딴지같은 얘기냐는 듯 고개를 돌려버렸다.

안철수

2011년 9월 안철수는 한국 정치판에 발을 내디뎠다. '청춘콘서트' 일정 중 서울시장 보궐선거에 출마하겠다는 의사를 밝힌 것이다.

원래 안철수는 오랫동안 비전을 가지고 정치를 꿈꾸던 사람이 아니었다. 의사 출신이지만, 한국 최초로 컴퓨터 백신 프로그램을 개발해 무료로 배포하고, 벤처기업을 창업해 10여 년간 모범적으로 운영하는 등 독특하면서도 성공적인 삶을 살아온 그는 이미 젊은이들이 가장 멘토로 삼고 싶어 하는 유명인이었다. 그런 그가 한창 잘나가는 기업을 그만두고 유학을 다녀와 교수로서 청년들과 소통하기 시작했다. 안철수와 젊은 세대의 공감은 '청춘콘서트'를 통해 한층 증폭되었고, 그는 차츰 구태

의연한 기성의 정치세력을 대체할 새로운 정치의 아이콘으로 떠올랐다.

그런 안철수를 처음 정치판에 데리고 나온 사람은 윤여준이었다. 그는 안철수가 매우 좋은 '상품'이 될 것을 알아보았고, 그리하여 '순진한' 안철수를 세상에 전격적으로 데뷔시킨 것이다. 그 첫 일정이 바로 2011년 서울시장 보궐선거였다. 윤여준이 기획한 이 이벤트는 대성공이었다. 안철수의 인기와 영향력은 하늘 높은 줄 모르고 치솟았다.

당시 안철수의 잠재력은 서울시장 정도는 얼마든지 되고도 남을 만한 상황이었다. 하지만 이 세상에서 유일하게 그 사실을 모르고 있는 사람이 있었으니, 바로 안철수 자신이었다. 그는 아직 자신이 얼마나 큰 인물인지 알지 못했다. 그저 세상이 자신에게 보내는 관심과 애정, 사람들이 자신에게 거는 기대와 희망의 무게에 눌려 휘청거리고 있었던 것이다. 정치를 너무 몰랐던 그는 자신이 의당 누릴 힘이 있는 그 정도 인기에도 매우 황감해했다. 즉, 그는 자신의 잠재력을 어떻게 조절하고 어떻게 조직화시켜 나가야 할지에 대해 구체적인 생각과 의지가 없었다. 그런 상황에서 박원순과 마주 앉게 된 것이다.

오랫동안 시민운동을 해온 박원순은 이미 서울시장 출마 선언을 해놓은 상태였는데, 안철수의 갑작스러운 등장으로 큰 혼란에 빠졌다. 그는 본능적으로 자신이 서울시장에 당선되지 못할 것을 알았다. 그만큼 안철수의 인기는 폭발적이었다.

한국 사회에서 그동안 비슷한 위치를 점유해 온 두 사람은 조건 없이 만나 대화를 나눴고, 결국 안철수가 불출마를 선언했다. 안철수의 양보에 따라 박원순은 자연히 서울시장에 당선되었고, 결과적으로 안철수에게 큰 빚을 진 셈이 되었다.

그렇다면 안철수는 왜 시장선거에 출마하겠다는 의사를 밝혔다가 확실한 승리를 목전에 두고 물러난 것일까? 그것은 진짜 안철수만의 생각이고 결단이었을까? 결론적으로 말하자면, 시장선거에 나가겠다는 것도, 물러나겠다는 것도 안철수 혼자 결정한 것은 아니었다.

안철수가 박원순에게 시장 자리를 양보한 이유와 배경을 규명하는 것은 매우 중요하다. 앞으로 이 두 사람이 야권의 유력한 대통령후보가 될 것이 자명하기 때문이다.

당시 정치 경험이라고는 전혀 없이 오로지 넘치는 인기만으로 선거전에 뛰어든 안철수는 정작 서울시장이 무엇을 어떻게 해야 하는지에 대해서는 확실한 소견이 부족했다. 단지 정치권에 발을 디딜 수 있는 가장 빠른 기회가 서울시장 보궐선거였으므로 출마 의사를 밝힌 것뿐이었다. 하지만 여론조사에서 박원순을 무려 세 배 이상 앞지르자 한껏 고무되기도 했다.

그런데 여기서 우리가 주의해 관찰할 것이 하나 있다. 안철수는 워낙 예민하고 여린 사람으로 아주 조그만 것 하나에도 세세히 신경을 쓴다는 점이다. 그는 넘치는 인기와 확고한 여론조사상의 우위를 점하고도 늘 세세한 것에 겁을 냈다. 당시 그가 가장 두려워했던 것이 바로 윤여준으로 말미암아 자신의 이미지가 하루하루 오염되고 있다는 사실이었다.

윤여준은 노회한 책사답지 않게 안철수를 세상에 소개할 때 지나치게 자신의 공을 강조하는 어리석음을 범했다. 한때 보수진영의 대표적인 책사였지만 오랫동안 세상으로부터 잊혀져 있었기에 조바심이 났던 것이다. 윤여준은 안철수를 마치 자신이 훈련시켜 데리고 나온 애완견처럼 떠벌렸다. 어떤 때는 자신이 안철수의 정치 스승이나 되는 것처럼 안철수의 정치철학을 말하고, 때로는 대변인처럼 시장선거에 나온 이유와 계획을 이야기했다.

당시 기성 정치에 신물이 난 사람들이 안철수에게 열광했던 것은 그의 참신함과 정의로움 때문이었는데, 여기저기 정치판을 옮겨다니던 구시대의 책사가 전면에 나서자 사람들은 하나둘 실망감을 토로하기 시작했다. 안철수는 태생적으로 명석한 사람이다. 그는 사람들이 자신에게 바라는 참신함이 윤여준에 의해서 심각하게 훼손되고 있음을 깨닫자마자 그와의 관계를 청산했다. 이 점은 안철수가 어떤 사람인가를 판단하는 데 매우 중요한 단서가 된다.

즉, 안철수는 박근혜와 달리, 한 번 자기 사람이 되면 그가

THAAD

어떤 좋지 않은 모습을 보이더라도 끝까지 품고 가는 보스 기질이 매우 부족하다고 볼 수 있다. 그는 윤여준이 아무리 연락을 해도 응하지 않는 방식으로 관계를 끊었는데, 이 점 또한 유의할 필요가 있다. 그는 남의 면전에서 어려운 얘기 하는 것을 피하는 스타일이라고 볼 수 있는 것이다. 정치의 핵심이 어려운 관계나 문제들을 하나하나 풀어나가는 데 있다고 본다면, 인기인으로 출발한 안철수는 그런 일에 약할 수밖에 없고, 그것이 윤여준을 통해 여실히 드러난 것이다.

어쨌든 윤여준과의 관계를 정리한 안철수는 자신의 미래 정치 행로를 매우 조심스럽게 계획하기 시작했다. 그는 목적을 위해서는 남들이 정신병자로 보든 악당으로 보든 상관없이 쭉 밀고 나가서 나중에 결과로 대답하고자 하는 그런 스타일은 아닌 것으로 분석된다. 즉, 매순간 다른 사람이 자신을 어떻게 보느냐에 매우 민감하게 신경을 쓴다. 또한 비교적 깨끗하게 살아온 그는 자신의 삶은 물론, 신체 또는 주변환경 그 무엇이든 지저분하고 더러운 것을 싫어한다. 한마디로 결벽주의자라고 할 수도 있다.

2011년 서울시장 보궐선거에서 안철수가 정식으로 출마를 하고 끝까지 완주했다면 서울시장이 되었을 것이다. 그러나 안철수는 정치계산법에서 타격을 받았다. 여당 후보는 하나인 상황에서 자신이 출마하면 야권 표가 나뉘어 결국 여당 후보가 당선될 거라고 본 것이다.

과연 처음에 하늘을 찌를 듯했던 여론조사 결과가 조금씩 떨어지기 시작하자 안철수는 조바심이 났다. 당시 그가 자신을 지지하고 자신이 정치에 나서주기를 바라는 많은 사람들을 위해서 짧게라도 몇 마디 했다면 그것은 굉장한 반향을 불러일으켰을 것이다. 그러나 안철수는 어떤 작은 행동도 하기 전에 반드시 아무도 보지 않는 은밀한 곳에 들어앉아 모든 경우의 수를 타진해 보았다. 즉, 계산기를 두들겼던 것이다.

안철수는 여당 측 여론조사 결과를 보고는 매우 기뻐했다. 그런 여론조사에서는 한결같이 안철수가 이길 거라는 전망이 나왔기 때문이다. 하지만 친야당 여론조사에서는 박원순이 우세한 것으로 전망되었고, 그 결과를 본 그는 큰 충격을 받았다. 주변에 경륜이 있는 조언자가 전혀 없었기 때문에, 이렇게 자신에게 불리한 여론조사가 앞으로도 계속 나올 거라고 지레짐작했던 것이다.

그는 인기인의 완벽한 승리, 즉 정치인들이 그야말로 불리한 상황에서 진흙탕을 기면서 힘들게 얻어내는 그런 승리와는 다른, 모든 사람이 일사불란하게 자신의 손을 들어주는 그런 승리를 원했다. 처음에는 그것이 충분히 가능해 보였기 때문에 별 영향력도 없는 인터넷신문의 여론조사 결과 박원순이 자신보다 우세하다는 기사를 보고도 겁을 냈던 것이다.

서울시장으로서의 역할을 잘할 수 있을 것인지도 걱정되기 시작했다. 벤처기업의 CEO로서 회사를 성공적으로 경영하긴 했지만, 그것은 기술적으로 자신이 잘 아는 분야에서 성과를 냈던 것이기 때문에, 서울시장이라는 전혀 생소한 자리에서 무엇을 할 수 있을지 고민이 많았던 것이다. 그런 참에 불리한 여론조사가 나오자 그는, 자신은 이미 얻을 것은 다 얻었다고 생각하게 되었다.

　안철수는 그동안 전국을 순회하며 '청춘콘서트'를 진행하면서 확인했던 사람들의 열망과 그 엄청난 인기를 바탕으로 자신의 생각을 현실세계에 구현하고 싶었고, 그것이 바로 정치라는 생각을 했지만, 정치권에 있는 그 누구도 그를 인정하거나 손을 잡아주지 않았다. 안철수는 인기가 아무리 높아도 정치인에 비해서는 무력하다는 것을 깨닫고 정치에 한번 발을 내디뎌봤던 것인데, 그의 시도 자체는 매우 성공적이었다. 그는 당시 어떤 정치인보다도 국민들의 열화와 같은 지지를 받았다. 안철수는 지금은 그것을 확인한 것만으로도 충분하다고 생각했다. 그래서 원래 박원순을 만나기로 한 날보다 앞당겨서 먼저 연락을 한 것이다. "내일 바로 만납시다." 그 자리에서 안철수는 박원순에게 시장선거에 출마하지 않겠다고 밝혔다.

　안철수가 이때 보여준 행보를 자세히 관찰하면, 앞으로 그가 어떻게 정치를 해나갈 것인가를 잘 알 수 있다. 그는 2012년 대통령선거에서도 마지막 순간에 문재인에게 양보했다. 여기에는 물론 양보를 넘어선 치밀한 계산과 감정적인 면이 포함되어 있었다. 그러나 정치에 가장 필요한, 그 굴욕의 순간을 참고 견뎌서, 남들이 뱉어내는 그 비난과 침을 다 맞아가며 견뎌서 마지막 순간에 권력을 거머쥘 수 있는 인내와 끈기가 부족했던 것이다.

그는 대통령선거 이후 다시 한 번 기회를 맞을 수 있었다. 두 번의 양보로 안철수를 약하게 보는 시각도 있었지만, 그보다는 그가 선량하고 이기적이지 않아서 양보를 한 것이라고 보는 국민들이 더 많았기 때문에, 그의 인기는 여전히 정계를 뒤흔들 정도의 힘이 있었다. 그래서 더더욱 안철수의 내면적 고민은 깊었다. 그는 어떻게 하면 이미 증명된 자신의 인기를 정치적으로 현실화시킬 수 있을 것인가를 깊이 고민했는데, 가장 큰 문제는 역시 자신의 주변에 정치 경험이 풍부하고 미래를 설계할 수 있는 경륜 있는 조언자가 없다는 사실이었다. 결국 그는 다시 한 번 윤여준과 손을 잡았다. 윤여준이 한때 자신에게 그려 보여주었던 그 황홀한 세상, 그 완벽하고 잘 짜인 세상에 대한 향수를 떨칠 수 없었던 것이다.

윤여준은 다시 한 번 거대한 그림을 그렸다. 국민들은 기존 정치판에서는 이미 기대를 거둬들인 지 오래였다. 온갖 잡음 속에 정권 연장에 성공한 새누리당이나 정권 탈환에 실패하고

만신창이가 된 민주당이나 더 이상 기대할 게 없다고 생각한 사람들은 이전보다 더 간절히 새로운 것을 원하고 있었다. 윤여준은 그것을 누구보다 잘 알고 있었다. 게다가 안철수로부터 한 번 버림을 받았던 그는 또 언제 안철수가 변할지 모른다고 생각해 그를 꼼짝없이 엮어넣을 그물까지 고안했다. 윤여준은 마침내 거대 신당 창당을 안철수에게 제안했다.

당시 안철수 역시 윤여준과 똑같은 고민에 사로잡혀 있었다. 세상이 나를 잊어버리지 않을까? 언론에 자신에 대한 이야기가 거의 언급되지 않고 있었기 때문에 안철수는 어느 정도 심리적 초조감에 시달리고 있었다.

윤여준은 안철수에게, 그가 신당을 만들기만 하면 얼마나 많은 세력이 합류할지, 장밋빛 미래를 그려 보여주었다. 안철수는 매우 기뻐했다. 일거에 새누리당이나 민주당과 같은 큰 당의 주인이 된다는 사실에 들떴던 것이다. 거대 신당 창당이야말로 그동안 많은 사람들로부터 받았던 비난을, 서서히 잊혀져가던 자신의 존재감을 한꺼번에 만회할 수 있는 방법이었다. 안철수는 윤여준이 설계한 대로 당을 창당해 다가오는 2014년 6월 지방선거에서 모든 지역구에 후보를 내리라 생각했다.

그런데 이 결정은 결과적으로 윤여준의 노욕과 안철수의 미숙함이 합쳐서 빚어낸 참사 중의 참사가 되고 말았다. 영향력 있는 아무도, 인기 있는 아무도 안철수 신당의 지방선거 후보로 들어오려 하지 않았던 것이다. 더구나 기존 정당에서 국민들로부터 인정받고 명망 있는 정치인은 단 한 사람도 신당 참여 의사를 밝히지 않았다.

안철수는 당황했다. 이 경험 없는 정치인은 몹시 조급해졌다. 지방선거는 점점 다가오는데 제대로 된 후보를 하나도 내지 못하고 있다는 사실이 그를 초조하게 만들었다. 바로 이때 민주당 김한길 대표가 그의 심리적 허점을 찔러왔고, 그래서 민주당과의 합당에 바로 도장을 찍고 말았던 것이다.

이 과정에서 안철수는 다시 한 번 윤여준을 소외시켰다. 정치적인 생명을 걸어야 하는 중대한 결정을 앞두고, 윤여준과 밤을 새워 책상을 치고 고함을 질러가며 싸우다가 결국은 같이 손잡고 나오는, 그래서 같이 합당에 참여하는 지극히 '정치인다운' 과정을 안철수는 감당할 수가 없었던 것이다.

이 심약하고 선량한 정치인은 이처럼 큰 일을 윤여준과 상의도 없이 독자적으로 즉각 결정해 버림으로써 윤여준의 세계를 완전히 끝장내 버리고 말았다.

안철수는 분명 기가 막힌 선택을 할 수 있었다. 박경철과 조국 등 야권·진보 성향의 인물들과 홍정욱 등 젊은 여권 인사들을 끌어들여서 참신하고 가능성 있는 사람들끼리 작지만 알찬 정당을 만들어 내실 있게 지방선거를 치르겠다고 선언했다면 민주당과 좀 더 유리한 딜을 할 수 있지 않았을까?

당시 민주당은 워낙 안철수의 인기에 눌려 있었기 때문에 지방선거에서 완전히 참패할 거라는 고민에 휩싸여 있었다. 그들은 안철수가 어떤 형태로든 손을 내밀어주기를 학수고대하고 있었다. 즉, 안철수가 어떤 요구를 해도 그가 민주당과 반대쪽에서 지방선거를 치르지 않겠다는 약속만 해준다면 받아들일 준비가 되어 있었던 것이다.

신당의 대표로서 안철수는 민주당과 딜을 하면서 박원순을 자신이 만든 신당으로 넘겨달라는 요구를 할 수 있었다. 즉, 박원순이 서울시장 선거를 신당 후보로 치르게 해달라고 했어도, 그 대신 전국의 민주당 선거를 돕겠다고 했으면 민주당은 응하지 않을 도리가 없었을 것이다. 박원순은 여든 야든 무소속이든 어떻게 나가도 서울시장에 당선되었을 것이다. 안철수가 당수로서 박원순을 영입해 서울시장선거를 치러냈다면, 한국의 2014년 6월 지방선거는 여의 선거도 야의 선거도 아닌 안철수의 선거가 될 수밖에 없었다. 박원순의 당선은 자명했고, 거기에 안철수의 인기가 합쳐졌다면 더 많은 표를 얻었을 것이고, 그러면 안철수는 지방선거의 유일한 승자가 될 수 있었다.

그랬다면 안철수는 기존 정당과는 완전히 다른 새로운 당의 지도자로서 대통령이나 야당 당수와 맞먹거나 능가하는 한국 정치의 희망이자 심볼로 떠올랐을 것이다. 이렇게 쉽고 간단한 길을 생각하지 못하고 굳이 험하고 끝이 보이는 길을 찾아

간 안철수가 다음 대통령선거에서 성공할 수 있으리라는 보장
은 없다는 것이 한국의 중론이다. 게다가 얼마 전 재보선에서
최악의 공천을 해 대실패를 맛본 그에게는 미래가 없어 보인다.
하지만 그가 이미 현저한 한계를 드러낸 정치인의 모습을 버리
고 고뇌하는 지식인의 모습으로 한국민의 정서에 다가간다면
아직도 잠재력을 가지고 있다. 어쨌거나 정치개혁의 아이콘이
라는 이미지는 여전하기 때문이다.

다만 그 역시 우리에게는 적합한 한국 대통령이 아니다.

7

달러의 위기

미국에 와서 일을 본 지 한나절도 되지 않아 더 이상 할 일이 없어지자 어민은 호텔방에 앉아 고민을 하기 시작했다. 세계은행과 경찰, 그리고 리처드 김의 부인. 셋 모두에게서 어떠한 단서도 얻을 수 없었으며 와서 겪어보니 미진의 말처럼 자신이 해야 할 역할이란 정말로 없었다. 1,200만 원이나 되는 돈을 들여 퍼스트클래스를 타고 왔건만 사실은 단 한 푼어치의 가치 있는 일도 하지 못한 셈이었다.

"돌아가야 되나?"

어민은 욕조에 앉아 눈을 감았다. 30분 이상이나 물속에서 생각에 잠겨 있었지만 어민은 어떠한 생각도 끌어내지 못한 채 그냥 밖으로 나왔다. 그는 노트북 앞에 앉아 전원을 눌렀다. 생각이 나지 않을 때는 오히려 머리가 쉴 수 있도록 오락거리를 즐겨야 한다는 것이 그의 실패한 인생을 지배해 온 지론이었다. 그는 습관처럼 이메일부터 체크했다. 뜻밖에도 미진으로부터 메일이 하나 와 있었다.

리처드 김은 자신의 위험을 알고 있었을 거래요. 삼사 년 전부터 미국에서 리처드 김이란 이름과 김철수라는 이름을 같이 쓰고 있었다면 이미 그때부터 몸을 사리고 있었던 거라고 하시네요.

이메일의 내용은 전혀 엉뚱했다. 메일을 보고 난 어민은 고개를 갸웃거렸다. 미진이 옮긴 내용은 김 변호사의 말일 것이었고, 경찰 측이든 세계은행 측이든 통화 한 번 했을 리 없는 김 변호사가 이런 내용을 보내온 걸 어떻게 생각해야 할지 알 수 없었다.

"이름이 두 개라……?"

어민은 메일의 내용을 몇 번 곱씹었다. 한국 이름과 미국 이름, 사적으로 두 개의 이름을 쓰는 것은 교포들 사이에서는 흔한 일일 것이었다. 학창시절 회화학원에서 만들었던 영어 이름이 낯간지러워 외국인 선생들에게 본명으로 불러달라고 부탁하던 기억도 났다.

"그것이 뭐 어쨌다는 것인가?"

겨우 그런 정도로 위험이니 뭐니 하는 것이 우습게 여겨졌
다. 평소 이상한 데가 있는 김 변호사의 행동에까지 생각이 미
치자 더욱 믿음이 가지 않았다. 메일의 내용을 머릿속에서 털
어내며 그냥 인터넷 창을 닫아버리려던 어민은 잠시 손을 멈추
었다. 아무리 그렇더라도 퍼스트클래스의 경우도 그러했고, 어
딘지 모르게 묵직한 힘이 느껴지는 김 변호사의 말을 그저 무
시할 수만은 없는 까닭이었다.

"최어민 변호사라고 합니다. 딜런 본부장 대주세요."

잠시 생각하다 세계은행에 전화를 건 어민은 교환에게 딜런
과의 연결을 부탁했고, 곧 전화선을 타고 딜런의 목소리가 들
려왔다.

"딜런입니다."

"김철수라는 이름을 들어본 적이 있나요?"

"아니, 없어요."

그러면 그렇지. 그 이름은 아마 친한 친구나 한국 교민들 사
이에서나 쓰던 큰 의미 없는 이름일 것이었다. 적당히 전화를
끊으려던 어민은 혹시라도 하는 생각에 다시 물었다.

"미스터 딜런, 그것은 사실 리처드 김의 한국 이름입니다. 혹
시 회사에서 들었을 만한 사람이 있을까요?"

"글쎄요. 그의 비서에게 물어보면 알 수 있을지도 모르겠습

니다. 알아보고 전화를 드릴까요?"

"네, 부탁합니다."

전화는 그리 오랜 시간이 걸리지 않아서 걸려왔다.

"어떻게 아셨습니까? 그 이름으로 비행기나 호텔 등을 예약한 적이 몇 번 있다고 하는군요."

"그렇군요. 알겠습니다."

대답을 하면서도 어민의 머리는 빠르게 회전했다. 단순히 교민이나 친구들 사이에서나 쓰던 이름이 아니라고? 그렇다면 호텔이나 비행기를 가명으로 예약해야 하는 경우란 어떤 것일까? 비밀요원? 범죄자? 간첩? 어민은 고개를 가로저었다. 리처드 김은 그러기에는 너무나 신분이 확실한 사람이었다. 그런 경우가 있기는 있을 텐데. 어민의 머리는 뭔가 떠오를 듯 말 듯한 단어를 계속 더듬어갔다. 그리고 그는 숱하게 봐왔던 영화와 드라마 사이에서 결국 그 단어를 짚어냈다.

"산업스파이!"

"네?"

"틀림없어! 그는 산업스파이였던 거지요?"

갑작스러운 어민의 말에 딜런은 기가 막혔는지 아무런 대답도 하지 못했다.

"거기 기다리고 계시오. 지금 가겠어요."

어민은 말문이 막힌 딜런을 수화기 건너편에 놓아둔 채 전화기를 내팽개치듯 하고 호텔방을 나섰다.

"아니, 대체 무슨 일이기에?"

딜런은 땀을 흘리며 뛰어든 어민의 있는 대로 고조된 표정을 보고 어리둥절해 물었다.

"당신들, 나한테 숨기는 게 있었지요?"

"네?"

이글이글 타는 눈빛으로 딜런을 쳐다보던 어민은 어디선가 이런 경우를 많이 겪은 것 같은 느낌이 들었다. 과거 초라한 행색으로 다닐 수밖에 없었던 그는 온갖 음식점이나 카페 등에서 푸대접을 받게 마련이었고 그들은 항상 친절함을 가장한 적당한 말로 어민의 불만을 대충 무마하곤 했었다. 어민은 그런 경우를 타파하는 방법을 정확히 체득하고 있었다.

"요즘 총재가 여기 뉴욕 사무실에 와 있다고 했죠. 총재 불러요."

"네?"

눈이 휘둥그레진 딜런에게 어민은 재차 소리치듯 말했다.

"리처드 김은 두 개의 이름을 쓰고 있었고 그중 하나는 지극히 비밀스럽게 사용했단 말입니다. 그에게 비밀스러운 일이 뭐가 있을 수 있겠어요? 오로지 업무뿐이지요. 김철수. 그게 그가 세계은행의 비밀 업무에 사용한 이름이에요."

"비밀 업무요? 그런 건 없어요. 아니, 있다 해도 그걸 왜 리처드에게?"

"좌우간 총재 불러요! 아니면 지금 당장 경찰에 이 살인사건과 세계은행 사이에 결정적인 연관이 있다고 제보할 거요. 법정에서 만나는 꼴을 봐야만 하겠어요?"

"아니, 무슨 근거로?"

"그가 가명을 사용해 묵었던 호텔과 항공편의 날짜, 장소 등이 과연 세계은행에서 지시한 출장에 쓰인 것인지를 조사하려면 먼저 경찰에서 압수수색을 할 거요. 그걸 딜런 당신이 모두 책임질 수 있어요?"

당황한 딜런은 어민의 얼굴을 멍하니 바라보았다. 지금 그가 되는대로 주워섬기는 말들이 대체 어떤 근거가 있는지, 논리적으로 옳기는 한 건지 알 수는 없었지만, 어쨌거나 퍼스트클래스를 타고 날아온 일류 변호사인 그가 세계은행에 모종의 혐의를 제시하고 있는 것이었다. 귀찮아질 것은 불을 보듯 뻔한 일이었다. 그는 조용히 한숨을 쉬고는 인터폰을 들어 어디론가 연락을 했다. 딜런은 곧 더욱 큰 한숨이 담긴 목소리로 말했다.

"총재님이 만나자고 하십니다."

어민은 딜런의 안내를 받아 총재의 사무실로 들어섰다. 김용 총재는 부드럽고 차분한 인상이었다. 책상에 턱을 괸 채 기다리고 있던 그는 어민과 짧은 악수를 마친 뒤 침통한 음성으로 먼저 이야기를 시작했다.

"학교에 잘 있는 리처드를 괜히 내가 데려와 이런 일이 일어났어요. 하지만 총재가 되었을 때 그를 데려올 수밖에 없었던 건 그가 달러 연구에 관한 한 세계 최고이기 때문이지요. 달러 전문가들이 운집한 여기 세계은행에서도 그는 단연코 독보적이었어요. 그런데 듣자 하니 그의 죽음과 업무 사이에 연관이 있다고 했다던데, 뭔가 상황에 변화가 일어난 건가요?"

"그는 삼사 년 전부터 두 개의 이름을 썼습니다. 위험을 예견하고 있었던 겁니다."

김용 총재는 잠시 생각하다 물었다.

"그 위험이 업무와 관련이 있는 게 틀림없나요?"

"리처드가 개인적으로 모종의 범죄나 음모에 연루될 가능성이 있었을까요?"

"그렇지 않아요. 그는 회사와 연구에 대부분의 시간을 할애했으니."

대답을 한 뒤 총재는 일리가 있다는 듯 스스로 고개를 끄덕였다.

"일리 있는 추측이군요. 그러면 최 변호사는 세계은행에 어떠한 협조를 원하지요?"

"그가 그 무렵 어떤 일을 담당하고 있었는지, 어떤 연구를 하고 있었는지, 그의 연구가 누구에게 어떤 영향을 미칠 수 있었는지를 알아야 그의 죽음을 규명할 수 있습니다."

"리처드의 연구라…… 그게 이유가 될 수 있을까?"

"아는 바가 있으십니까?"

"그의 연구에 대해서는 누구보다 내가 잘 알고 있어요. 그를 세계은행에 데리고 온 것부터가 그 연구를 위한 것이었으니까. 아니, 그는 이미 다트머스에 있을 때부터 그 연구만 해온 사람이오."

"어떤 연구입니까?"

"달러의 약세."

"달러의 약세라면, 구체적으로?"

"세계적으로 달러는 자꾸 약해지고 있고 그건 바로 미국의 퇴조를 의미하는 겁니다. 그는 달러가 약해지는 모든 이유를 규명하는 연구를 오래전부터 수행해 왔어요."

어민은 잠시 생각을 가다듬었다. 뭔가 뉘앙스가 위험해 보이는 일이라는 생각은 들었지만 실제로 위험할 수 있는 경우에 대해서는 얼른 떠오르는 것이 없었다.

"그의 연구 중에서 특히 사람들과 부딪치는 부분이 없었습니까?"

"그건 애매해요. 정부의 어떤 부처든 기관이든 자신들이 하는 행태가 달러의 약세를 조장하는 걸로 밝혀지면 피해가 발생한다고 판단할 수도 있지요. 기업 중에도 있을 테고. 그러나 그렇다고 연구자를 협박하거나 위험에 빠뜨릴 만큼 직접적이지는 않겠지요."

총재의 시선이 꿔다놓은 보릿자루처럼 서 있는 딜런에게 향했다.

"저 역시 그의 연구를 계속 접했지만 특별히 비밀이랄 것도 없고 특별히 피해를 본다고 생각될 만한 개인이나 집단을 지목한 적 또한 없습니다."

"딜런, 혹시 우리가 생각하지 못하는 각도가 있지 않을까? 우리 생각에는 전혀 문제가 없는데 상대방의 입장에서는 큰 타격이 된다든가."

"……."

"그런 각도에서 좀 더 집중해서 살펴봅시다. 리처드의 죽음이 업무와 관련된 거라는 문제제기는 나도 공감이 가니까."

"알겠습니다."

"최 변호사, 이야기 잘 들었어요. 나는 외부 회의가 있어 나가봐야 해요. 최 변호사의 문제제기는 고맙게 받아들이고 집중해서 그의 연구를 다시 살펴보겠어요."

구렁이 담 넘어가듯 어민을 한껏 치켜세우면서도 문제가 될 수 있는 소지를 모두 거두는 것이 과연 높은 자리에 있을 만했다. 그러나 어민은 쉽게 물러나지 않았다.

"총재님, 저도 그의 연구에 접근할 수 있도록 해주셨으면 고맙겠습니다."

이에 딜런이 결코 그럴 수 없다는 듯 즉각 고개를 흔들며 나섰다.

"리처드는 온갖 종류의 기밀 연구에 다 접해 있습니다. 외부에 공개할 수는 없습니다."

"사건과 세계은행의 연관성을 법원에서 주장하면 어차피 공개해야 하는 일입니다. 저는 그의 연구에서 얻은 정보를 외부에 공개하거나 하지 않고 오로지 사인 규명에만 쓸 작정이니 염려하지 마십시오."

이에 총재는 잠시 생각하다 딜런에게 지시했다.

"딜런, 리처드의 일은 바로 내 일이니 최 변호사가 자료에 접근할 수 있도록 해줘요."

"……."

"흐흐, 총재님. 내친김에 하나 더 부탁드리겠습니다."

"뭐죠?"

"제가 경제 지식이 없는 편인 데다 전문용어도 약해서 그러는데, 누군가 저를 도와 그때그때 설명도 좀 해주시고……."

"알았어요. 딜런, 그를 잘 배려해 주세요."

딜런은 끝내 그럴 수 없다는 듯 무응답으로써 완강하게 총재를 저지했지만 총재는 고개를 휘휘 젓고는 어민에게 짧은 악수를 건넨 뒤 사무실을 나가버렸다.

"리처드는 달러가 약해지는 모든 원인을 분석했어요."

딜런은 리처드 김과 같은 부서의 연구원인 이든을 어민을 위해 배정해 주었고 그는 어민에게 리처드 김이 해온 연구의 개요를 설명하기 시작했다.

"달러가 약해지는 가장 기본적인 원인은 상품의 제조원가 때문이에요."

이든은 어민을 배려해 어민이 고개를 끄덕이고 나서야 다음 설명으로 넘어갔다.

"품질이 똑같은 제품을 미국에서 만들면 100달러, 일본에서 만들면 70달러, 한국에서 만들면 50달러, 중국에서 만들면 30 달러예요. 그러니 미국은 유조선에서부터 이쑤시개 하나까지 중국 것을 사 쓰지 않을 수 없고 하룻밤 지나면 중국에는 달러가, 반대로 미국에는 적자가 쌓여요."

"왜 미국은 제조원가가 그렇게 많이 들어요?"

"물론 인건비 때문이죠. 기타 사회비용도 많이 드니까요."

"사회비용이라면?"

"중국에서는 공장만 지으면 그만이에요. 하지만 미국에서는 근로자를 돌보기 위한 각종 비용이 들어가죠. 이런 비용을 지출하지 않고 공장을 운영할 수는 없기 때문에 자연히 생산가격이 높은 거예요. 그러다 보니 수지가 엉망이 되고 엉망된 수지를 보전하려니 계속 달러를 찍어야 하는 악순환이 이어지는 게 미국의 현실이에요."

"자꾸 적자가 쌓이다 보니 달러를 찍어 경제를 부추기고, 따라서 달러가 자꾸 더 약해진다는 얘기네요?"

"네."

이든은 오랜 시간에 걸쳐 리처드 김의 연구에 대해 어민에게 설명을 해주었다. 어민은 온 신경을 기울여 그의 설명을 따라갔으나 사건과 연결할 수 있는 요소를 찾아내기는커녕 온전히 이해하는 것만도 벅찼다. 어민은 결국 손을 내저었다.

"이든, 그런데 이든이 봤을 때 리처드가 지목한 달러의 약세 분석에 의해 직접적으로 피해를 본다는 생각이 드는 집단이 있나요?"

"음, 그런 생각을 해보지는 않았는데요."

"한번 추려볼 수는 있지 않겠어요?"

이든은 잠시 생각하다 고개를 가로저었다.

"그의 연구는 어떻게 생각하면 모두에게 불편하고 또 어떻게 생각하면 아무렇지도 않아요. 달러가 약해지는 게 누구의 책임은 아니잖아요?"

어민은 쓴웃음을 지으며 고개를 끄덕였다. 손쉽게 남의 손을 빌려 코를 푸는 일은 있을 것 같지 않아서였다.

THAAD

"리처드 김의 컴퓨터를 좀 봅시다."

"네, 하지만 거기에도 의심스러운 건 없어요."

"내가 직접 한번 볼게요."

"켜드리죠."

리처드 김의 연구든 보고서든 컴퓨터 안의 내용을 제대로 이해할 리 없는 어민이었지만 그는 포기하지 않고 문장 사이의 이음 부분을 꼼꼼히 살폈다. 누군가 드러나지 않게 떼어가거나 조작하지 않았을까 하는 의심 때문이었다. 리처드 김의 컴퓨터를 샅샅이 살펴본 어민은 밤이 늦어서야 녹초가 되어 호텔로 돌아갔다.

8

의심할 수 없는 사람들

　리처드 김의 연구에서 어떠한 실마리도 잡아내지 못한 어민은 호텔 침대에 몸을 누인 채 사건을 처음부터 다시 생각했다. 세계은행의 업무와 관련된 사건이라는 시각으로 사건을 되짚어가다 보니 마음에 걸리는 것이 있었다.

　아침이 되자 그는 바로 경찰국의 잭슨을 찾아갔다.

　"수사는 진전이 없었지요?"

　잭슨은 자신이 세웠던 두 개의 소중한 가정을 무너뜨린 이 일류 변호사를 내심 경계하고 있었다.

　"시간이 좀 걸릴 것 같소."

　"휴대폰 말인데요."

　"휴대폰?"

"내가 잭슨 형사랑 통화를 하고 바로 살해당했으면 가장 유력한 용의자는 잭슨 형사겠죠?"

"말이라고 하시오? 설마 범인이 그래서 휴대폰을 훔쳐갔으리라고 생각하는 건 아니겠지. 휴대폰 기기 외에도 기지국에 기록이 다 남는데 말이야."

"맞아요. 역시 잭슨 형사는 날카롭군요. 그게 바로 단서예요."

"단서라고?"

"자, 내가 살해당하기 직전에 전화를 두 통 했다고 가정해 봐요. 한 통은 잭슨 형사, 한 통은 오바마 대통령."

"……?"

"그리고 내가 살해당한 뒤에 휴대폰이 사라졌어요. 경찰은 잭슨 형사를 의심할까요, 아니면 오바마 대통령을 의심할까요?"

"나를 의심하겠지."

"그럼 한 통은 잭슨 형사, 한 통은 살인 전과범."

"전과범을 의심하겠지."

"빙고!"

어민은 빙긋 웃으며 영문을 모른 채 대답만 하고 있는 잭슨의 어깨를 정답게 툭 쳤다.

"리처드가 살해당한 거리에는 마켓도, 카페도, 펍도 아무것도 없어요. 평소 그가 가던 곳도 아니고, 심야에 갈 만한 곳도 아니지요. 미리 연락해 약속하지 않고는 도무지 갈 만한 곳이 아니에요."

"그런데?"

"그러니 범인은 분명 리처드와 통화 기록이 있는 사람 중 하나일 거예요. 휴대폰을 없앤 이유는 거기에 문자나 통화 기록이 남아 있을 경우를 대비하기 위해서일 거구요. 하지만 잡범이라면 결코 휴대폰을 없앨 수는 없어요. 제1의 용의자로 의심받을 게 당연하거든."

"무슨 소릴 하는 거요?"

"통화 기록에 있는 사람 중 가장 알리바이가 튼튼한 사람, 가장 의심할 수 없는 신분의 사람, 가장 살해 동기가 없을 것 같은 사람이 오히려 용의자란 말이에요."

그럴듯한 추리였다. 어민은 잭슨의 책상 위에 있는 파이프를 집어들고 한쪽 입술을 실룩이며 말했다. 이 모습을 본 잭슨은 역사상 위대한 탐정들이 모두 비슷한 포즈를 취한 데는 이유가 있다고 생각했는지 잠시 동경 어린 눈으로 그를 쳐다보다 일어서 보관 중이던 통화 내역 서류를 꺼내왔다.

"그러나 의심할 만한 사람이 너무 없소. 이미 삼중 사중으로 확인을 했던 터요."

잭슨은 그러면서도 펜을 꺼내 몇 사람의 이름 밑에 줄을 그었다.

"이건 최근 3개월간의 통화 내역이오. 피살자는 수없이 많은 전화를 걸고 받았는데 이분들을 제외하고는 모두 수사관들이 직접 얼굴을 맞대고 조사를 했소."

"어떤 사람들이죠?"

"당신 말대로 도저히 의심할 수 없는 분들이오. 상원의원, MD 단장, 워싱턴 소재 중국대사관의 참사관. 도대체 이런 분들을 어떻게 의심한단 말이오?"

"MD 단장이라면?"

"미사일방어단장. 미국 정부의 미사일 방어 계획을 책임지고 있는 분이지. 육군 대장이오."

어민은 눈을 빛냈다. 사실 이날의 천재적 추리란 미리 결론을 내고 시작한 덕에 가능했던 것이었다. 리처드가 업무로 인해 살해당한 게 사실이라면 이것은 세계은행이라는 거대한 세력과 또 다른 세력 간의 파워게임일 것이었고, 이 빅브라더들의 신분이란 도무지 의심할 수 없는 높은 것이어야 한다는 것이 그의 생각이었다. 그리고 MD 단장이란 그가 펼친 음모론적인 상상에 꼭 걸맞은 인물이었다.

"바로 그자, 그 사람을 조사하는 것부터 출발해야 해요. 어서 전화를 걸어봐요."

그러나 생기가 동한 어민과 달리 가만히 듣고 있던 잭슨은 고개를 가로저었다.

"도무지 할 수 없는 사람이오."

"아니, 잭슨 형사. 여태까지 내 말에 틀린 게 있어요?"

"난 안 한다니까."

"도대체 왜 안 하는 거죠? 범인을 잡을 의지가 없는 거예요?"

"그런 게 아니고."

"아니면 뭐란 말이에요?"

몇 번 더 채근해도 고개만 흔들던 잭슨은 급기야는 눈꼬리를 치켜뜨더니 버럭 화를 냈다.

"안 한다는데 왜 이래? 당신 뭐야? 뭐? 의심할 수 없는 사람을 의심하는 게 수사라고? 미친놈! 상원의원, 육군 대장, 참사관이 살인 용의자라고? 짜식이 퍼스트클래스 타고 왔다 해서 대접 좀 해줬더니, 알고 보니 미친놈이잖아!"

"당신 아까까지는 좋다고 신나하더니 왜 전화를 못 걸겠다는 거야? 겁나는 거지? 그러고도 당신이 20년 수사관 생활 했다고 자랑할 수 있어?"

어민이 맞고함을 치자 잭슨은 더 흥분했다.

"뭐? 당신 이제부터 여기 나타나지 마! 당신이란 작자는 수사에 도움이 되기는커녕 수사를 방해하는 자야. 당신이 하자는 건 미친 짓이란 말이야. 솔직히 말해봐, 당신은 확신이 있어? 이런 엄청난 사람들을 조사하려면 최소한의 근거나 확신은 있어야 하잖아, 그 최소한의 확신이나마 있냔 말이야? 죄다 상상뿐이잖아! 당신이 뭔데 남의 나라에 와서 이래라저래라 하는 거야. 당신 변호사 맞긴 맞아? 변호사가 그렇게 더듬거리는 말로 지껄여도 되는 거야!"

잭슨은 그렇게 고래고래 고함을 치더니 갑자기 벌떡 일어나서 다른 방으로 들어가버렸다. 한참이나 그가 나오길 기다리던 어민은 짧은 한숨을 뱉고 이내 경찰국을 나섰다.

막상 경찰국에서 나오자 어민은 다시 벽에 부딪혔다. 여느 영화 뺨치는 멋진 추리를 내놓았다고 생각했는데 영화에서처럼 일이 쉽게 풀리지는 않았다. 오히려 그 반대였다. 갈 곳을 잃고 잠시 잭슨을 원망하던 어민은 곧 당연하다는 듯 고개를 끄덕였다. 사실 잭슨을 탓할 수는 없는 노릇이었다. 일개 형사가 육군 대장에게 당신 살인범 아니냐고 전화를 걸 수는 없는 일이었다. 발길 닿는 대로 걷던 어민은 곧 택시를 잡아타고 저도 모르게 '세계은행'이라는 이름을 댔다.

"네? 총재님께요?"

"여태껏 가장 유력한 용의자가 나타났어요. 그러니 총재님께 얘기해서 경찰국장에게 전달해야 해요."

"어려운 얘기예요."

최선을 다해 귀찮은 태를 얼굴에 드러내고 나타난 딜런과 케이건은 입을 모아 고개를 가로저었다.

"왜요? 총재님이 경찰국장에게 부탁했다고 하잖았어요?"

"그건 다른 문제예요. 사건 수사는 담당 팀장이 책임을 지고 하는 거예요. 누가 하란다고 하지 않아요. 일이 잘못되면 잭슨은 끝이에요. 누가 자기 평생이 걸린 일을 최 변호사가 하란다고 하며 국장이 하란다고 하겠어요. 그건 본인의 영역이기 때문에 아무도 강요할 수 없어요."

"그럼 수사를 하지 말자는 얘기예요?"

"경찰에서 알아서 할 일이지 우리 총재님이 어떻게 할 수 있는 일이 아니란 뜻이에요."

"여하간 내가 총재님께 얘기할 테니 총재님께 연결만 시켜줘요."

"연결할 수 없어요."

그들이 이제 노골적으로 가로막고 나왔지만 어민은 어떻게 해볼 도리가 없었다.

"총재님이 편의를 제공하라고 하셨던 거 기억 안 나요?"

"어쨌든 그런 일로 총재님을 뵐 수는 없어요."

두 사람이 한사코 반대하자 어민은 분통이 터졌지만 어떻게 할 수 없는 일이라 그냥 세계은행을 나올 수밖에 없었다. 이제는 정말로 더 이상 갈 곳을 잃은 어민은 갑갑함을 이기지 못하고 아무렇게나 걸어다니다 눈에 보이는 정류장에 걸터앉았다.
곧이어 '부두행'이라고 쓰인 버스가 왔고 어민은 이에 그냥 올
라탔다.

9

라운트리

"하아."

바다를 보며 큰 호흡이라도 한번 하고 새로이 생각을 가다듬으면 뭐라도 나올 것 같았지만 그렇지도 않았다. 아는 사람하나 없는 이 거대한 미국 땅에서 자신이 기댈 곳은 어디에도 없었고 기껏 잡은 것 같은 실마리란 도무지 건드릴 수 없는 높은 곳에 있었다. '41번 부두'라고 적힌 선창을 거닐며 넘실대는 대서양의 파도를 바라보던 그는 답답한 심정을 가득 담아 길거리에 굴러다니던 깡통을 걷어찼다.

쨍— 소리를 내며 포물선을 그린 깡통은 마치 거짓말처럼 길거리의 휴지통에 정확하게 들어갔고, 이에 건너편에서 부둣가를 걷던 미국인 하나가 큰 목소리로 환호를 보내왔다.

"동양인의 신비란!"

어민은 이 요행에 까닭 없이 기분이 좋아 마주 인사를 보냈다. 요행이라니, 이런 쓸데없는 요행 말고 다른 대단한 요행이 다가와 사건을 도와주면 얼마나 좋을까. 방향 잃고 아무 곳으로나 흘러가던 어민의 머리는 문득 이 요행이라는 것의 왕과도 같은 일에 생각이 미쳤다. 퍼스트클래스라는 단어 하나로 자기를 마치 대단한 변호사나 된 것처럼 만들어주고, 이름을 두 개 썼다는 이유 하나만으로 세계은행과 살인사건을 연관시킨 김 변호사. 요행인지 아닌지는 모르지만 그의 도움이 있으면 뭔가 되어도 될 거라는 생각이 들었다. 그는 문득 휴대폰을 꺼냈다. 막 한국으로 버튼을 누르려는 찰나, 휴대폰이 먼저 제 몸을 부르르 떨었다. 발신자는 미진이었다.

"홍변! 여기까지 무슨 일이에요?"

"도움이 필요하면 애크미로펌의 폴 라운트리 변호사를 찾으라서요."

"아니!"

기가 막힐 노릇이었다. 요행 수준을 떠나서 자신의 일거수일투족을 다 들여다보지 않고서야 어찌 이런 일이 가능할까. 어민은 충격을 받아 말문이 막혔다.

"왜요?"

"어떻게 내 사정을 그리 자로 잰 듯 정확하게 아시는 거죠?"

"지금이 가장 도움이 필요할 때라 하셨어요."

"네?"

"할 말은 그게 다예요. 요금이 비싸니 그만 끊어요."

얼토당토않은 내용으로 전화를 걸어온 미진은 더욱 얼토당토않은 이유로 전화를 끊고 말았다. 어민은 한참이나 어리둥절해하다 일단은 411을 눌러 애크미로펌의 번호를 물었다.

전화를 걸자마자 수신음이 두 번 울리는 법 없이 바로 교환원이 나오는 것이 상당한 규모의 로펌인 듯했다.

"애크미로펌입니다."

"한국에서 온 최어민 변호사인데 폴 라운트리 변호사와 통화 부탁합니다."

믿을 수 없을 만큼 불친절한 목소리의 안내는 황당한 대답을 해왔다.

"1분에 2천 달러입니다."

"네? 무슨 얘기예요?"

"라운트리 변호사는 지금 전화 상담 가능하시고 가격은 1분에 2천 달러로 통화 전에 카드결제를 하셔야 합니다."

"그게 아니라 만나려고 하는데요."

"라운트리 변호사는 누구와도 만나지 않습니다."

안내는 코맹맹이 소리를 빠른 속도로 내보내고는 대답을 듣지 않은 채 전화를 바로 끊어버렸다.

어민은 기가 막혀 전화를 다시 하려 했지만 도중에 그만뒀다. 안내하는 여자의 기세로 보아 자신이 다시 전화를 건다 해도 결과가 좋을 것 같지는 않았다. 차라리 사무실로 직접 찾아가는 게 나을 것이었다.

애크미로펌은 월스트리트 한가운데서도 가장 임대료가 비싸 보이는 최신식 건물의 70층부터 무려 여섯 층이나 쓰고 있었다. 안내데스크에도 열 명 가까운 젊은 미녀들이 손님을 분류하고 거르는 작업을 하고 있었는데, 어민이 폴 라운트리 변호사를 찾자 용무를 물어보기도 전에 한사코 고개부터 가로젓고 보는 것이었다.

"폴 라운트리 변호사는 외부인을 만나지 않습니다."

오기가 발동한 어민이 몇 차례나 더 요청했지만 그들의 대답은 한결같았다. 그냥 그대로 사무실에서 나가라는 것만이 그들의 얼굴에 쓰인 답변이었다. 결국 포기하고 사무실 밖으로 힘없는 걸음을 옮기던 어민은 갑자기 제자리에 멈춰 섰다. 이번에도 그냥 무력하게 돌아서자니 그간의 스트레스가 한꺼번에 터졌는지 그는 저도 모르게 고함을 쳤다.

"그분이 얼마나 바쁘고 대단한 분인지는 몰라도 돈 받고 전화 통화는 하는 걸 보면 결국 돈벌레라는 거 아뇨? 사람의 일이 어찌 돈뿐이라는 거요?"

라운트리

안내는 어민이 고함을 지르자마자 바로 무표정하게 버튼을 눌렀고 채 몇 초도 되지 않아 건장한 사나이 몇이 나타나 어민을 둘러싸며 엘리베이터를 가리켰다.

"조용히 가라는 얘기야? 그래, 간다. 폴 라운트리라는 놈 천하에 웃기는 돈벌레라고만 전해줘!"

그렇게 어민이 엘리베이터에 자의반 타의반으로 밀어넣어지는데, 무슨 일인지 급히 달려온 한 여성이 사나이들 사이로 고개를 들이밀었다. 다른 안내원들보다도 훨씬 훌륭한 외모의 미녀였다.

"혹시 한국에서 온 최 변호사세요?"

"그래요!"

"지금 막 연락을 받고 뛰어내려오는 길이에요. 라운트리 변호사님이 모셔오라 하셨어요. 저는 비서 린다예요."

순식간에 사나이들이 사라지고 린다는 웃음 띤 얼굴로 눈을 마주치며 사과했다.

"죄송해요. 라운트리 변호사는 워낙 특별한 분이시라 오해가 많아요."

"그런데 어떻게 나를 찾아온 거죠?"

"김윤후 변호사님이 전화를 하셨어요."

린다는 엘리베이터에 올라타 76층의 버튼을 눌렀다.

"라운트리 변호사는 대중과 철저히 차단된 분이죠. 아무리 찾아와도 만날 수 없어요."

"비싼 돈 받고 전화 상담은 하잖아요?"

"일반인에게는 하지 않아요. 변호사 상담만 받죠."

"무슨 뜻이죠? 일반인들은 돈을 내도 상담해 주지 않고 변호사들에게만 돈을 받고 상담을 한다는 뜻이에요?"

"네."

"그것도 1분에 2천 달러요?"

"네."

"상담하는 변호사들이 있나요?"

"물론이죠. 미국 전역에서 쇄도해요. 그것도 오래 기다려야 차례가 돌아와요."

"으음!"

어민은 침을 넘겼다. 조금 전까지 그를 욕하던 것도 잊고 세상에 이런 괴물 변호사가 있다는 것이나 이런 거물이 김윤후 변호사의 전화를 받고 비서를 보내 자신을 찾은 데 대한 은근한 자부심도 솟아났다.

"김 변호사님과 라운트리……."

어민이 질문을 하려는데 엘리베이터 문이 열리고 린다는 입을 다문 채 어민을 커다란 방으로 안내했다. 3면이 모두 시원한 통유리로 되어 있어 보이는 거라고는 하늘밖에 없는 방 한가운데의 책상에 앉은 오십대 중반의 사나이가 어민을 물끄러

미 지켜보고 있었다. 그 광경에 위축되어 어민은 저도 모르게 두 손을 공손히 모았다.

"어서 와요. 최 변호사."

의외로 라운트리는 어민에게 친절하게 손을 내밀었다.

"반갑습니다."

"김윤후 변호사에게 이야기를 들었소. 환영해요."

"아, 저는 말도 잘 안 나옵니다. 접근이 워낙 어려워 이렇게 나 부드러운 분인 줄은 생각도 하지 못했어요."

"하하. 무얼 도와드리면 되지요?"

어민은 찬찬히 이제까지의 일을 설명했다. 추리 과정을 따라 가며 때때로 동조하듯 고개를 끄덕이던 라운트리는 담당 수사 관이 죽어도 저명인사들에게 전화를 걸지 않으려 한다는 대목에 이르러 잔잔히 웃었다.

"내게 데려와요."

"잔뜩 겁을 먹은 데다 워낙 고집쟁이라 안 오려고 할 겁니다."

"어디 최 변호사 실력 한번 봅시다. 데려오는지, 못 데려오는지."

막상 만나진 라운트리는 편안한 사람이었다. 마음이 한결 가벼워진 어민은 궁금했던 것을 확인하듯 물었다.

"그런데 과연 이들 유력인사들을 용의선상에 두어도 될까요?"

THAAD

"당신의 추리는 과학적이고 합리적이었소. 그렇다면 자신을 믿어야만 해요."

"그러나 그게 저만의 추리라면……."

"하여간 그 형사를 데리고 오시오."

라운트리의 사무실을 나온 어민은 바로 경찰국으로 향했다.

"후후, 그들이 살인범이라는 확신을 심어줄 테니 변호사사무실로 가자고?"

잭슨은 입가에 비웃음부터 흘렸다.

"가서 손해 볼 일은 없지 않겠어요?"

"왜 손해를 안 보나! 시간 손해에 뉴욕 경찰의 위신은 땅에 떨어지고, 모로 보아도 손해 볼 일만 있는데! 아까 케이건한테 들으니 당신 세계은행에서도 총재를 보자니 말자니 하는 소리만 했다며? 아무도 당신 말을 안 들어주는데 왜 나한테만 이러는 거요? 당신 나한테 무슨 악감정이라도 있어?"

"있어요."

"뭐? 악감정이?"

"아니, 내 말을 들어주는 사람들이 있다고요. 용의자의 신분이나 자신의 안전보다 정의를 먼저 생각하는 사람들 말이에요. 여기 뉴욕에만 해도 라운트리 변호사가 있어요. 당신이 알리도 없는 사람이지만."

순간 길길이 날뛰던 잭슨은 거짓말처럼 식식대는 소리를 멈추고 혼돈스럽다는 듯 물었다.

"뭐요? 라운트리? 폴 라운트리 변호사 말이오?"

"그래요. 폴 라운트리."

"당신이 나하고 가자던 게, 그러니까 폴 라운트리 변호사사무실이라는 말이오?"

"왜 아니겠어요?"

"라운트리 변호사와 연락이 되어 있단 말이오?"

"그렇다니까요."

놀랍게도 라운트리라는 이름은 순식간에 잭슨을 휘어잡았다.

"아니, 어떻게 선생이 라운트리 변호사님을."

이제 잭슨은 호칭조차 바꾸고 있었다. 어민이 내민 명함을 보자마자 황급히 뒤를 따라나선 잭슨은 애크미로펌에 들어서 라운트리를 기다리는 동안 어민에게 손을 내밀었다.

"최 변호사, 미안하게 되었소. 그간 내가 실수한 모든 일에 대해 너그러운 이해 바라겠소."

"염려 말아요. 항상 이해하고 있으니."

라운트리가 나타나 잭슨에게 악수를 청하자 차려 자세로 기다리던 잭슨은 세상에서 가장 공손한 동작으로 그의 손을 두 손으로 감싸쥐었다.

"잭슨 형삽니다. 오래전부터 뵙고 싶었습니다. 변호사님을 진정으로 존경합니다."

푹신한 소파를 권했음에도 굳이 딱딱한 의자를 가져다 앉은 잭슨은 곧 그간의 수사에 대한 구구절절한 브리핑을 시작했다. 그러나 라운트리는 잭슨이 미처 말을 끝내기도 전에 손을 저어 이를 가로막았다.

"모든 사건에는 자연스러운 일과 특별한 일이 있는 법이오."

그는 마치 철학자와도 같은 흐릿한 말로 서두를 열었다.

"자연스러운 일이 많을수록 사건은 어려워지는 법이고 특별한 일이 많을수록 쉬워지는 법이지. 이를테면 심장이 좋지 않은 노인이 심장마비로 죽었다. 이런 사건은 설혹 타살이라 한들 영원히 밝혀지지 않는 법이오."

"정말 그렇습니다."

"그런 의미에서 최 변호사의 추리는 매우 타당한 것이오. 리처드 김의 통화 기록에 있는 세 명의 저명인사. 그것은 매우 특별한 흔적이고 처음부터 수사는 거기에 집중되었어야 했소. 그랬다면 쉽게 다음 실마리가 잡혔겠지."

"네? 저는 전혀 이해가 안 갑니다."

라운트리는 잭슨의 물음에 답하지 않은 채 이야기를 이었다.

"세 사람 중 오래전부터 알고 지낸 사람이 있고 비교적 근래에 알게 된 사람이 있을 것이오."

"그렇습니다."

"새로 알게 된 사람, 즉 예전의 통화 기록에는 없는 사람은 누구요?"

"스컬리 육군 대장입니다."

"그의 직무는?"

"MD, 미사일방어망의 책임잡니다."

"너무나 특별하군. 그렇다면 그가 가장 유력한 용의자요."

라운트리의 너무나 확신에 찬 단정은 잭슨뿐 아니라 어민까지 놀라게 했다.

"아니 변호사님, 어떻게 그렇게 단정할 수 있습니까?"

"틀림없소."

라운트리는 잭슨을 향해 단호한 표정을 보였다.

"변호사님, 저는 형사가 되지 않았으면 군인이 되어 있을 사람입니다. 무슨 말인지 아시겠지요? 그만큼 저는 군을 존중하고 아낀다는 겁니다."

"잭슨 형사의 취향과 그가 유력한 용의자라는 점은 관계가 없소."

"육군 대장이 용의자라면, 그러면 리처드 김은 군으로부터 예민한 군사 정보를 빼내려다 죽임을 당했다는 겁니까?"

잭슨이 반문하는 모습을 보며 어민은 자신이 저런 주장을 했으면 잭슨은 아마도 주먹을 날리려 들었을 거라 생각하며 고소를 머금었다. 사납기 짝이 없는 잭슨이 점잖은 라운트리에게 꼼짝을 못하는 모습은 꽤나 희극적이었다.

"아니, 그 반대요."

"반대라뇨?"

"미사일방어단장은 보안이 체질화되어 있는 사람이오. 로비스트나 기자를 비롯해 정보를 캐내려는 사람들은 주변에 셀 수도 없이 많아요. 그러니 그런 일로 실수를 하지도, 사람을 죽이지도 않아요."

"그러면요?"

"거꾸로지. 리처드 김이 무언가 치명적인 걸 알고 있었고 이 사람이 그걸 겁냈다고 봐야 할 거요."

이어서 라운트리는 인터폰을 눌렀다.

"내 방으로 오게."

곧 한 젊은이가 들어오자 라운트리는 잭슨에게 스컬리의 전화번호를 받아서 젊은이에게 내밀었다.

"상당한 기관 이름을 대고 이 사람과 통화해 보게. 국제통화기금 연구위원이라고 하는 게 가장 적당하겠군."

젊은이는 다양하고 집요하게 전화 연결을 시도했으나 스컬리와는 전혀 통화가 되지 않았다.

"됐어. 가보게."

라운트리는 이제 이해가 가느냐는 듯 어깨를 으쓱하며 제스처를 취해 보였으나 잭슨은 무슨 말인지 알아듣지 못했는지 눈만 껌뻑거렸다.

"흐, 우직한 형사 양반. 방금 보았듯이 이 사람은 세계은행 연구위원 정도가 전화를 걸어 통화할 수 있는 사람이 아니오. 그런데도 피살자는 이 사람과 통화를 했소. 아마 피살자는 처음에는 문자를 보냈을 거요. 자신이 통화를 할 만한 가치가 있는 사람이라는 걸 알렸겠지. 그 다음의 통화는 이 사람 쪽에서 시도했을 테고."

테이블에 통화 기록을 놓고 라운트리가 지적하는 시점의 기록을 따라 살펴보던 잭슨은 곧 입을 떡 벌렸다.

"어, 정말 그런데요."

"이 사람은 누가 전화를 걸어도 통화할 수 없는 사람이오. 대통령을 비롯한 몇 사람이나 가능하겠지. 그런데 이 사람이 거꾸로 피살자에게 전화를 건 거요. 그 의미를 알겠소? 자, 이제 당신의 할 일은 분명해진 거요. 그를 조사하시오. 물론 상원의원과 참사관도 빠뜨려서는 안 되겠지."

어민은 이 사람 라운트리가 얼마나 대단한지 두 눈이 확 밝아지는 느낌이었다. 자신이 썩 대단한 머리를 가지고 있지 않다는 건 잘 알고 있었지만 인간의 머리가 이렇게나 성능이 다를 수 있구나 하는 생각에 어민은 감탄과 위축감을 동시에 느꼈다.

놀라 입을 다물지 못하는 잭슨 대신 어민이 물었다.

"그 메시지가 무엇일까요? 세계은행 연구위원이 도대체 어떤 메시지를 보냈기에 육군 대장이 거꾸로 그를 찾게 됐을까요?"

"그건 피살자가 하던 일을 들여다보아야 할 거요."

"세계은행의 연구원과 함께 죽어라 찾아봤지만 별게 없었어요."

"그렇다면 더욱 중요한 정보라는 얘기요. 어디 기록해 둘 수조차 없는."

어민은 자신과 잭슨이 생각하지도 못했던 사실을 끄집어내며 용의자를 특정해 버리는 라운트리의 능력에 놀람과 동시에 한국에 있는 김윤후 변호사를 떠올렸다. 이렇게 뛰어난 사람, 전화 1분에 2천 달러를 받는 사람이 김 변호사의 전화 한 통에 움직이고 있다는 데 생각이 미치자 어민은 불쑥 물었다.

"라운트리 변호사님, 한국에 계신 김윤후 변호사님과는 어떻게 알게 되셨는지 여쭤도 될까요?"

여태껏 막히는 법 없이 물 흐르듯 대답하던 라운트리는 그 질문을 대하고서 멈칫했다.

"김 변호사가 따로 말을 하지 않았소?"

"예."

잠시 뜸을 들이며 시간을 보낸 라운트리는 약간의 감정이

묻어나는 목소리를 흘려냈다.

"그와 나는 여기 뉴욕에서 같이 일했소. 그는 법률가로서는 아무도 따라올 수 없는 무서운 감각을 지닌 사람이었고, 우리는 맡는 사건마다 다 이겼소. 기업, 금융기관, 상원의원, 심지어는 검찰총장까지 사건을 들고 왔소."

어민은 처음 듣는 이야기에 놀라움을 감추지 못했다. 김 변호사가 뭔가 사연이 있는 사람이라고는 생각했지만 그렇게나 우수한 변호사였다니.

"두 분이 같은 로펌에서 일하셨나요?"

"처음 로펌에서 만났지만 우리 두 사람은 바로 독립해 우리만의 로펌을 차렸고 승승장구했소. 그러던 어느 날 우리는 맡아서는 안 될 사건을 맡게 되었소. 그게 나와 김 변호사가 갈라서는 계기가 되었지."

"그 사건이 뭔데요?"

"그건 김 변호사에게 직접 듣는 게 낫겠소."

어중간하게 말을 맺은 라운트리는 어민과 잭슨에게 손을 내밀어 격려를 보내고는 곧 의자를 빙글 돌려 등을 보였다. 그 뒤에 대고 고개를 꾸뻑 숙인 어민은 떠나기 싫어하는 잭슨을 데리고 사무실을 나왔다.

문재인

우리가 입수한 정보에 의하면, 문재인은 2011년 6월경 한 사람의 방문객과 마주 앉았다. 다음 해 말에 치러질 대통령선거에서 100퍼센트 이길 시나리오를 제시하러 왔다고 밝힌 이 방문객은 문재인에게 당시 정계에는 별로 알려지지 않았던 한 사람의 이름을 거명했다.

"이 사람이 정치권에 들어오면 젊은이들의 열광적인 지지를 받아 태풍을 일으킬 수 있습니다. 내년 총선에 변호사님은 여기 부산에서 출마하겠다고 발표하셨는데, 다만 국회의원이 변호사님의 목표는 아니겠지요. 어찌 됐든 변호사님은 대선을 바라봐야 하지 않습니까. 이 시나리오대로 하면 변호사님은 다음 대선에서 충분히 승리할 수 있습니다."

문재인은 온 신경을 집중해 방문객의 이야기를 들었다.

"변호사님이 대선에 당당하게 나가려면 여기 부산 지역에서 내년 국회의원선거에 최소한 대여섯 사람은 당선을 시켜야 합니다. 그런데 지금 상황으로 보면 부산에서는 문 변호사님만 당선이 됩니다. 민주당에서 부산 지역에 국회의원 후보로 내놓는 사람들은 기껏해야 친노 찌꺼기거나 민주당의 전혀 알려지지 않은 정치지망생 또는 당료들입니다. 물론 한나라당의 인기도 예전 같지는 않지만, 부산 사람들은 아무리 한나라당이 싫어도 민주당 후보를 당선시키려고 하지는 않습니다. 거물이 나와도 어려운 마당에 무명들로는 안 될 게 뻔합니다. 그런데 방법이 하나 있습니다."

잠깐 일그러졌던 문재인의 얼굴이 순간 밝아졌다.

"아까 얘기한 그 사람을 부산으로 끌어내리는 겁니다. 참, 그 안철수 원장 고향이 바로 부산입니다. 변호사님이 안 원장을 영입해서 여기 부산에서 국회의원선거만을 위한 부산 지역당을 하나 만드세요. 그 당 이름으로 부산에서 내년 선거를 치르는 겁니다. 안 원장은 정치를 전혀 모르고 정치권도 안철수라는 존재를 모르지만, 변호사님이 그를 정치권에 데뷔시키면 젊은 사람들, 그리고 기존의 정치에 신물이 나 있는 많은 사람들 사이에서 거대한 물결이 일어날 겁니다. 부산으로 내려와 선거를 돕겠다는 자원봉사자만도 수만 명에 이를 거예요. 그를 새

THAAD

로운 정치의 심볼로 포장해 여기 부산에서 국회의원선거를 치르면 대여섯 석뿐만 아니라 그 이상도 충분히 얻을 수 있습니다. 문 변호사님과 안철수 원장, 그리고 안 원장을 따라다니는 시골 의사 박경철, 서울대 조국 교수, 그리고 여기 부산 지역의 젊은 사업가와 명망가들을 끌어들여 선거를 치르면 엄청난 상승효과를 기대할 수 있습니다. 뿐만 아니라 바로 옆 김두관 지사의 경남과 힘을 합쳐 한나라당을 아예 눌러놓을 수도 있습니다."

열심히 들을 뿐, 별다른 반응이 없는 문재인을 힐끗 본 방문객은 다시 말을 이었다.

"대통령선거는 총선의 연장이라고 봐야 하지 않겠습니까. 국회의원선거에서 문재인, 안철수를 비롯한 새로운 사람들에게 표를 준 부산 시민들은 내년 말 대선에서도 역시 그 사람들에게 투표하게 됩니다. 내년 대선에 한나라당에서는 아마 박근혜가 나올 텐데, 부산 경남을 미리 밟아놓으면 박근혜는 힘을 쓸 수가 없습니다. 대구 경북만 가지고 뭘 어떻게 하겠습니까. 그래서 이번 국회의원선거가 중요한 겁니다. 그런데 문 변호사님 혼자로는 본인이나 겨우 당선될 정도니, 지금부터 슬슬 준비해서 판을 키워야 합니다. 그리고 대선 전에 저쪽 민주당 후보하고 겨루게 될 텐데, 아마 손학규가 나오겠지요. 손학규든 누구든 여기 부산 지역에서 승리한 문 변호사님이 경선을 하게 되면은 당연히 이기게 됩니다."

목에 핏대를 세워가며 열을 올리던 방문객의 목소리가 순간 낮아졌다.

"다만 변호사님한테는 어려운 관문이 하나 있습니다. 총선에서 안철수를 끌어들이게 되면 대선 전에 안철수하고 경선을 해야 합니다. 즉, 여기서 문재인과 안철수 두 사람이 경선을 하고, 그다음 민주당에서 나오는 사람하고 마지막으로 경선을 하게 되는 거죠. 그러고는 박근혜하고 본선을 치르게 될 겁니다. 여기 부산을 미리 밟아놓으면 민주당 쪽 후보와의 경선도, 박근혜와의 본선도 다 문제없습니다. 어려운 문제는 오히려 부산에서 누가 올라가느냐 하는 거지요. 그것이 바로 문 변호사님께 가장 큰 난관이 될 겁니다. 이 경선은 꼭 변호사님이 이긴다고 장담할 수 없습니다. 아니, 어쩌면 안철수에게 더 유리할 수도 있습니다. 하지만 변호사님은 정권교체만 할 수 있다면 본인은 무엇이 되어도 좋다고 하시지 않았습니까. 그러니 안철수 원장에게 전화를 하십시오. 만나서 그를 정치권에 데뷔시키고 그의 인기와 잠재력을 활용해서 부산 지역 국회의원선거를 승리로 이끄십시오."

이야기를 다 들은 문재인의 얼굴은 상당히 상기돼 있었다. 그는 엘리베이터 앞까지 나와 방문객을 배웅하면서 고개를 숙였다.

"고견 감사합니다. 깊이 생각하겠습니다."

우리가 당시 상황과 이후의 과정을 면밀히 분석한 결과, 이 방문객의 전략은 매우 탁월했다. 정치인 안철수의 인기는 몇 달 지나지 않아 증명되었다. 그가 서울시장 보궐선거 출마 의사를 밝혔을 때 한국 국민들의 반응은 가히 폭발적이었다. 그런 안철수가 고향인 부산에서 국회의원선거에 출마하고, 문재인과 함께 새로운 인물들을 영입해서 선거를 치렀다면 그 열기는 엄청났을 것이다. 그 후 안철수와 문재인이 공정하게 경선을 하고 이긴 사람이 다시 민주당 후보하고 겨룬 다음 본선에 나갔으면…… 그것은 그 방문객의 말대로 100퍼센트짜리 대선 성공 시나리오였다.

그러나 문재인은 이 전략을 받아들이지 않았다. 그는 안철수에게 전화를 하지 않았다. 왜 그랬을까? 여기에서 두 가지 분석이 가능하다.

첫째, 문재인이 안철수의 잠재력에 대해 그렇게 깊이 인정하지 않았다고 볼 수 있다. 당시 문재인은 안철수라는 재목의 가치를 알아보지 못했을 수 있다. 대신 그는 범야권 선거연합에 기대를 걸었을 것이다. 그는 민주당 내 경쟁에서 이기기만 하면 야권 전체와 손을 잡고 박근혜를 이겨낼 수 있을 것으로 생각했던 것이다. 이런 관점으로 보면, 문재인은 새로운 미래를 발

굴하고 개척하는 데 상당히 미온적이라고 볼 수 있다.

둘째, 안철수의 잠재력은 충분히 인지했지만, 자신이 안철수와 경선을 치러야 한다는 사실이 달갑지 않았을 수 있다. 어마어마한 인기몰이를 하고 있는 안철수와 경선에서 맞붙어 이기지 못할 거라고 판단해 안철수에게 전화를 하지 않았을 가능성도 있다. 그렇게 보면, 그가 정권교체만 된다면 무슨 일이든 하겠다고 한 것은 한낱 구두선에 불과하고, 그는 정치적 야욕이 겉으로 보이는 것보다는 상당히 크다고 분석할 수 있다.

그렇다면 문재인은 어떤 사람인가? 대선 당시 TV토론에 비춰진 문재인은 상당히 무미건조한 느낌을 주었다. 박근혜와 이정희 두 사람은 내용이야 어찌 되었든 본인들의 컬러와 캐릭터를 매우 흥미롭게 나타냈다. 하지만 문재인의 캐릭터는 이정희의 현란한 언사와 거기에 대비돼 동정을 사기에 충분했던 박근혜의 차분함에 완전히 묻혀버렸다. 그는 계속 수치를 들이대며 마치 관리처럼 정책 등을 설명하는 데 분주했는데, 국민들은 두 여자 사이에 낀 그에게서 열정도 매력도 느끼지 못했다.

문재인이 다음 대선에서 야권의 대통령후보가 될 수 있는 길은 합종연횡이다. 그는 좋든 싫든 안철수 등과 손을 잡아 박원순이 대선 후보가 되는 걸 막아야 한다. 그런 다음 경선을 통하면 후보로 선출될 수 있다. 그러나 점잖고 선량한 그가 박원순을 분리시킬 수 있는 논리를 개발하기란 무척 힘들 것으로 보인다.

 그는 우리에게 최악의 파트너로 보인다.

10

잭슨의 확신

경찰국으로 돌아간 잭슨은 부국장을 설득했다.

"피살자는 일개 연구위원인데도 불구하고 국방부의 MD 사업단장과 긴 통화를 했는데 이것은 그가 매우 민감한 정보를 가지고 있었고 따라서 살해 동기가 될 수 있었다는 게 전문가들의 의견입니다."

부국장은 못마땅한 얼굴로 잭슨을 노려보았지만 만류하지 않고 묵묵히 듣고만 있었다. 오랜 수사관 생활 끝에 세상의 진실이 뒤집히는 걸 수없이 목도한 노회한 처신이었다.

"어쨌든 나는 이분이 리처드 김과 무슨 얘기를 나누었는지 알아보아야만 하겠습니다."

"육군 대장이 형사로부터 살인사건의 용의자라는 전화를 받는다? 그러고도 가만있을 리는 없지 않겠나? 어떤 루트를 통하든 국장님께 항의가 들어올 테고 자네는 왜 이분을 괴롭히려 했는지 설명을 해야 할 거야."

부국장은 비록 조용한 목소리였으나 그가 사용한 괴롭힌다는 표현은 잭슨에 대한 뚜렷한 제지였다.

"설명할 수 있습니다. 세상에서 가장 유능한 변호사가 강력히 그를 지목하고 있습니다."

"누구지? 그 사람이?"

"폴 라운트리 변호사입니다."

"으음!"

부국장은 라운트리라는 이름에 표정을 달리했고 그런 그의 변화를 눈치챈 잭슨은 더욱 강경한 어조로 그를 설득했다.

"해야 합니다. 자신 있어요."

"책임질 텐가?"

잭슨은 멈칫했지만 이내 고개를 끄덕였다.

"지죠. 아예 노골적으로 메시지를 보낼 겁니다. 내일 오전 11시에 전화를 걸겠다. 거부하면 뉴욕경찰국 살인과로 소환하겠다고 할 겁니다."

잭슨은 확신에 찬 얼굴로 용감하게 나섰고 부국장은 갑자기 바뀐 잭슨을 말없이 바라보고 있었다. 잭슨은 자신의 책상으로 돌아오자 휴대폰을 꺼내 과감하게 메시지를 쳐서 넣고는 자랑스러운 얼굴로 부하들에게 선언하듯 말했다.

"마이클 스컬리, 합동참모본부 미사일방어단장, 내일 오전 11시에 전화를 받지 않는다면 리처드 김 살인사건과 관련해 소환장을 보내겠다고 했다."

부하들은 이런 잭슨의 얼굴을 매우 염려스럽게 바라보고만 있었지만 라운트리라는 이름을 생각한 잭슨은 엷은 웃음을 떠올렸다.

다음 날 아침 10시. 잭슨은 심호흡을 하고 용기를 가다듬었다. 난생처음 상원의원에게 직접 전화를 건다는 것은 그다지 내키는 일은 아니었으나 그는 지금 평생 어느 때보다 열정에 차 있었다. 신호가 가자 잭슨은 다시 한 번 목을 가다듬고 스피커를 켰다.

"의원이요."

"저, 저는 뉴욕경찰국의 잭슨 형사라고 합니다."

"무슨 일이오?"

"리처드 김이라는 세계은행 연구위원의 피살사건으로……."

"무슨 소리요? 그가 죽었다는 얘기요?"

"그렇습니다."

"피살? 누가 죽였소?"

"아직은 수사 중입니다만, 그래서 의원님과 최근 통화를 했기에, 그게 그래서 확인차 전화를 드렸습니다."

"나는 지금 모로코에 있소. 그가 언제 죽었소?"

"일주일 됐습니다."

"그때 내가 카이로에서 그와 통화를 했었소. 통화 내용이 녹음되어 있으니 당신에게 보내겠소."

상원의원은 자신이 의심받고 있다는 건 꿈에도 생각 못하는지 지극히 협조적이었다.

잭슨은 전화기에 들어온 파일을 열었다.

— 리처드, 당신 말이 맞았어. 여기 아프리카 사람들은 다 죽어가고 있어.

— 점점 심해질 수밖에 없어요.

— 제길, 달러가 약해지면 미국인들이 고통을 받아야지, 왜 전세계 가난한 사람들이 죽어야 하냐고.

— 그러니 달러를 그만 찍어내야 돼요.

— 오바마 그 개자식, 종이만 있으면 찍어낼 기세니.

— 달러 인플레이션이 너무 심해요.

— 식량이든 자원이든 전부 달러로 가격을 정하는데 그렇게나 되는대로 찍어내니 물가가 안 오르고 배겨? 세계적으로 지난 3년간 딱 두 배가 올랐어.

— 안타깝지만 어쩔 수 없어요.

— 정부들이 다 뒤집어져, 달러 약세가 멈추지 않으면.

— 가난한 사람들이 자기네 정부가 잘못한 줄로만 아니 엉뚱한 데 돌팔매질하는 거죠.

어민은 비로소 리처드 김이 하는 연구가 무엇인지 감이 잡히는 것 같았다. 달러 약세 연구란 생각보다도 더욱 범위가 넓어 안 미치는 분야가 없었다. 이들의 통화는 최근에 이르러 전세계 각지에서 일어나는 정부 붕괴의 원인에 관한 것이었고, 그 원인이란 달러 약세와 그에 따른 물가 상승이었다. 흔히 알려진 이유인 민주화에 대한 열망이란 한낱 포장에 불과했다.

"뭐, 의심 가는 부분이 있소?"

잭슨의 물음에 어민은 사건으로 돌아왔다. 잠시 골똘히 생각하던 그는 고개를 저었다. 살인과 연결될 만한 대화도 아닐 뿐더러 상원의원은 사건이 난 날 이전부터 지금까지 아프리카에 있었다. 대화를 나누어본 결과 어민이 보기에 그는 이 사건과 전혀 관련이 없어 보였다.

"이분은 제외해야겠어요."

지극히 협조적인 상원의원과의 통화에 잭슨은 잔뜩 사기가 올랐다.

"이번엔 중국대사관 참사관과 통화합시다."

어민도 그게 좋겠다고 생각하던 참이라 고개를 끄덕였다.

"펑첸 참사관은 최 변호사가 신문을 해보는 게 어떻겠소? 아무래도 나는 좀 있다 스컬리 대장을 신문할 준비도 해야 하고."

잭슨은 나름의 선물이라도 되는 것처럼 인심을 썼다. 이미 라운트리의 충고에 의해 스컬리에게만 온 혐의를 집중한 그는 참사관에게는 별다른 신경을 쓰지 않는 눈치였다.

"내가요? 리처드 김의 변호사 자격으로는 저쪽에서 응하지 않을 텐데. 아직 여기 말도 익숙지 않고."

"그건 염려 마시오. 신분증을 주시오. 그리고 당신 영어는 우리보다 나아요. 지난번엔 내가 화가 나서 막말을 좀 했는데 용서하시오. 가끔 우리도 모르는 어려운 어휘를 쓰니 확실히 최 변호사 영어가 나은 거요. 말이 느린 게 무슨 문제요. 원래 노련한 수사관들은 말을 천천히 하는 법인데."

잭슨은 어민의 신분증을 가지고 가서는 이내 수사보조원 신분증을 하나 만들어 왔다.

"경찰국에서는 전문가들을 수사보조원으로 위촉하는 경우가 많소. 이제 최 변호사는 수사관과 똑같은 자격으로 상대를 신문할 수 있어요."

어민은 고개를 끄덕이며 전화기를 받아들려는데 문득 잭슨이 자리를 뜨려는 기색을 보이자 궁금해서 물었다.

"참관하지 않아요?"

"후후. 나는 지금 대단히 중요한 일이 있소. 아까 아침에 제보를 받았거든. 무려 〈워싱턴포스트〉 기자의 제본데, 지금 잠깐 좀 확인을 해야겠소. 이건 리처드와 스컬리 사이를 입증하는 결정적인 증거가 될 거요."

"뭔데요?"

"조금 있다 들으면 알게 돼요."

그러고는 그냥 자리를 비웠다. 어민은 곧 전화기를 들었다.

"펑 참사관이시죠? 뉴욕경찰국입니다. 저는 수사보조원 최라고 합니다."

"무슨 일이지요?"

"세계은행의 리처드 김 피살사건과 관련해 혹시 아시는 게 있나 여쭤보려 전화를 드렸습니다."

"뭐요? 리처드가 죽었어요? 피살이라고? 범인은 잡았나요?"

"못 잡았습니다. 현재 수사 중인데 그를 잘 아십니까?"

"아다마다. 지난 4년간 두세 달에 한 번씩은 꼭 통화를 해온 사이에요."

"그와는 어떤 일로 통화를 했나요?"

"그냥 안부전화였어요."

"만난 적은 없나요?"

"최근에는 만나지 못했어요."

"만나지는 않고 전화로만 안부를 나눴다는 얘기군요?"

"그래요."

"그와는 어떻게 알게 되셨습니까?"

"지난 2010년 한국에서 열린 G20에서 처음 만났어요."

"두 분 다 거기 참석하셨나요?"

"네. 그는 한중 양국 정부와 함께 달러 환율에 관한 세미나를 했어요. 이야기가 긴데, 만나서 이야기를 나누는 게 어떻겠어요?"

"혹시 그의 피살과 관련해 의미가 있는 말씀이라 생각하십니까?"

"글쎄요."

"그런 부분이 있으면 지금 얘기하시죠."

"아니, 그게 그렇게 분명한 얘기는 아닌데, 혹시 참고가 되지 않을까 해서 그런 거니까 만나서 얘기하는 게 낫겠어요. 언제 시간 내 워싱턴으로 오세요."

"네."

어민이 전화를 끊자 어느새 돌아온 잭슨이 옆에서 엄지손가락을 세워 보였다.

"잘했소. 그런데 이 양반 얘긴 뭐요? 자기가 사건 관련 정보를 안다는 거요, 모른다는 거요?"

"애매해요. 만나봐야 알 것 같아요."

"일종의 허풍 아니겠소? 이런 인간들 많거든. 사람 죽으면 마치 뭘 아는 듯 떠들다 막상 정면으로 신문하면 발 빼지. 요즘엔 그것도 자기를 표현하는 방법이래나, 뭐래나."

온 관심을 스컬리에게만 쏟고 있는 잭슨은 의미 없는 소리로 구시렁댔다. 그러나 어민에게는 펑첸 참사관이 언급한 4년이라는 숫자가 예사로 들리지 않았다. 리처드 김이 김철수라는 이름을 같이 쓰기 시작한 지 삼사 년이라는 기간과 겹쳐지는 까닭이었다.

11

경계선의 용의자

잭슨은 목을 가다듬으며 자신의 결정적 타깃에게 전화를 걸 준비를 마친 뒤 부하들을 한데 불러모았다.

"보고 배우라고 특별히 불렀으니 모두 신경 집중해. 하지만 절대 정숙이야. 미합중국 육군 대장에게 전화를 걸어 신문하는 순간이니."

이 순간을 위해 평생 읽은 것보다 더 많은 기사를 공부한 잭슨은 MD와 관련된 온갖 신문기사들과 서류들을 책상에 온통 펼쳐놓은 채 초조한 눈으로 시계의 초침을 노려보다 정확히 11시가 되자 폰의 버튼을 눌렀다. 신호가 가고 저쪽에서 음성이 흘러나오는 순간 그의 얼굴은 벌겋게 달아올랐다.

"장군님, 리처드 김을 아십니까?"

스컬리는 잠시 침묵하다 대답했다.

"리처드 김이라는 사람으로부터 문자를 받은 적이 있소. 세계은행 연구위원이라고 자신을 소개했었지. 그런데 그가 살해되었단 말이오?"

"네, 그래서 질문할 것들이 좀 있습니다."

"하시오."

"이 전화 녹음해도 되겠습니까?"

"괜찮소."

"먼저 장군님이 피살자의 문자를 받게 된 경위를 좀 설명해주십시오."

"그는 문자를 보내 요격 미사일과 관련해 군사비 지출이 너무 심했다고 하더군. 그건 MD가 정상적으로 작동하지 않는 증거라 했소. 흥미로운 이야기라 그와 대화를 하고 싶어졌소."

"그래서 전화를 걸었습니까?"

"물론 걸었소."

"그는 뭐라 그러던가요?"

"MD 예산이 균등하게 쭉 뻗어나가지 않고 중간 단계에서 계속 중첩된 건 시스템이 기술적으로 문제가 있어 그런 게 아니냐고 짚어왔소."

"그의 문제제기는 장군님을 곤란하게 만들었나요?"

"그런 면이 좀 있기는 했소."

"왜 그랬던 거죠?"

"우리는 내부적으로 이 문제로 고민을 많이 했소. 요격 성공률이 처음 미사일방어망 구축을 기획했을 때에 비해 현저히 떨어지고 있었기 때문이오."

"그래서 그와 무슨 얘기를 나눈 거죠?"

"물론 나는 그의 주장을 부정했소."

"지금 말씀하시는 걸 보면 그의 주장이 맞는데 장군님은 그에게 그게 사실이 아니다, 이렇게 말씀하셨다는 거군요?"

"형사, 나는 전세계로부터 날아오는 대륙간탄도탄을 막기 위한 미사일방어망 구축의 책임자요. 전미국의 안전을 짊어진 내가 그의 말에 쉽사리 고개를 끄덕여줄 수 있다고 생각하오?"

"그는 뭐라고 반응했나요?"

"내가 거짓말을 한다고 했소. 비용지출 구조를 보면 기술적 문제가 있다는 게 뻔히 보이는데 왜 억지를 쓰느냐고 했소. 사실 그때 많이 놀랐소. 우리는 수없이 요격 실험을 했는데 그게 기획된 횟수를 많이 넘어서 내부에서는 쉬쉬하고 있었소. 그걸 연구원이라는 자가 예산 집행 구조를 통해 안다고 하니 놀라지 않을 수 없었던 거요."

"그러니 미사일방어망에 예상치 못했던 문제가 생겼는데, 리처드 김이 전화를 걸어오기 전까지 외부에서는 모르고 있었다는 얘기군요?"

"그렇소, 그건 기밀 중의 기밀이었소."

"그런데 그 무렵 〈워싱턴포스트〉의 윌로우 기자가 MD의 요격 성공률이 50퍼센트에 불과하다는 특종을 터뜨렸죠."

"흠!"

"리처드 김이 윌로우 기자에게 이런 정보를 주었다는 건 알고 계셨죠?"

스컬리는 잠시 뜸을 들이고 대답했다.

"나중에 알았소."

"어쨌든 윌로우 기자는 피살자의 정보를 바탕으로 엄청난 예산이 들어간 MD의 요격 성공률이 50퍼센트밖에 안 된다는 사실을 폭로했어요. 장군님은 이걸 막아보려고 피살자를 달래기도 하고 협박을 하기도 했겠지요."

"나는 애로점에 대해 설명하고 비밀을 유지해 달라고 부탁만 했을 뿐 협박을 하거나 한 적은 없소."

"부탁만 했다고요? 전화로?"

"그런 얘기를 전화로 할 수는 없는 거 아니오."

"만났군요?"

"물론 만났소."

"피살자가 순순히 부탁을 들어주던가요?"

"순순히? 그렇지는 않았소."

"그렇다면? 그를 협박했나요?"

"우리는 협상을 했소."

"협상?"

"그렇소. 나는 그에게 우리가 겪고 있던 난점을 모두 설명하고 대신 그는 아무에게도 이 얘기를 하지 않기로 말이오."

"그런데 그게 깨졌군요. 피살자가 윌로우에게 얘기를 해버렸어요."

"믿지 못할 인간이었소."

"그래서 그를 처단했나요?"

"무슨 소릴 하는 거요?"

"군인들은 약속을 어긴 자를 극도로 싫어한다고 알고 있는데요. 그럼 장군님은 약속을 어긴 자가 좋습니까?"

"물론 싫소."

"좋습니다. 어디서 그를 만나셨죠?"

"블론드숲에서 만났소."

"거기서 다투셨나요?"

"아니, 거기서 아까 말한 협상을 한 거요. 우리는 좋은 분위기에서 헤어졌소."

"그런데 그는 그날 밤 피살되었어요. 장군님을 만난 날 밤 피살되었단 말입니다. 그게 우연이라고 생각하세요?"

"나는 오후에 그를 만났소. 그다음 일은 아는 바 없소."

"그가 자기 차를 갖고 왔나요?"

"물론이오. 아니면 그 숲에 어떻게 오겠소?"

"그런데 왜 숲에서 만났죠? 시내에 카페도 많고 많은데."

"나는 남의 눈에 띄기 싫었을 뿐이오."

"그럼 그때 서로 좋게 헤어졌을 뿐 그다음은 모른다?"

"그렇소."

"장군님, 솔직히 인정하시죠. 장군님에게는 아주 훌륭한 살해 동기가 있습니다. 피살자는 장군님과 비밀을 지킨다는 약속을 어기고 월로우에게 정보를 제공했어요. 그를 감시하던 장군님은 화가 머리끝까지 났겠죠. 아니, 화가 문제가 아니라 그가 천문학적 예산을 받아 수행하고 있는 미사일방어망 프로젝트를 하루아침에 물거품으로 만들까 봐 조바심이 났던 거죠. 그래서 그를 살해한 거 아닙니까?"

"미칠 정도로 화가 난 건 맞소. 하지만 그를 죽이지는 않았소."

"하여튼 오늘은 여기까지 하겠습니다. 앞으로 내가 전화하면 바로바로 받으세요. 아니면 바로 소환합니다. 온 언론에 다 알리고요."

"무슨 개떡 같은 소리요? 당신은 정말로 내가 그를 살해했다고 믿는 거요?"

"그거야 모르죠."

"당신 이젠 내게 전화하지 마시오. 미합중국 육군 대장이 연구원을 살해했다고? 그것도 화가 나서? 미친놈!"

스컬리는 갑자기 심하게 화를 내며 전화를 끊어버렸다.

"흐흐, 밀어붙이니 끌려오는군. 지가 장군이면 장군이지."

자신이 생긴 잭슨은 전화를 끊으며 잔뜩 득의한 웃음을 지었다.

"이 친구, 내가 밀어붙이는 대로 밀린다는 느낌이 왔었소. 뭔가 범죄를 저지르고 은폐하려는 자들 특유의 그 약한 면이 전해져 왔다는 얘기요."

잭슨은 완연한 자신감을 내보였다.

"최 변호사, 옆에서 다 들었겠지만 리처드 김은 미사일방어망에 문제가 있다는 사실을 알고 있었던 거요. 스컬리는 그가 이걸 세상에 알리는 걸 무척 꺼렸던 거고. 이제 리처드 김으로부터 정보를 받은 이 윌로우라는 자를 만나면 뭔가 확실한 게 나올 거요."

"아침에 받았다는 제보의 주인공이 그 윌로우라는 기자로군요?"

"그렇소. 그 제보를 듣고 나는 스컬리가 범인이라 확신했지. 라운트리 변호사는 과연 무서운 사람이오. 아무것도 없는 상황에서 단번에 스컬리를 용의자로 지목했으니까. 나는 이제 윌로우를 만나러 갈 거요. 당신도 같이 갑시다."

윌로우는 〈워싱턴포스트〉라는 거대 신문의 유력한 기자답게 부드럽고 여유가 있었다. 그는 잭슨과 어민을 회의실로 안내하고는 적지 않은 시간을 들여 직접 커피를 내린 후 따라주었다.

"바쁜 사람들은 커피 마시는 일에 시간을 쓰기 싫어하지만 바쁠수록 커피에 공을 들일 필요가 있소. 인간은 생각할 때 가장 위대하고 커피는 바로 생각이니까."

잭슨은 윌로우의 말이 끝나기 바쁘게 물었다.

"리처드 김이 정보를 주었다 그랬죠?"

윌로우는 커피향을 음미하며 가볍게 고개를 끄덕였다.

"그가 먼저 전화를 걸어왔나요? MD에 문제가 있다고요?"

"그래요, 그가 전화를 했소."

"뭐라 하던가요?"

"MD 사업단이 돈 쓰는 꼴을 보니 문제가 있다, 그런 식으로 얘기한 거 같소."

"그래서 취재에 나섰나요?"

"아니, 나는 리처드에게 좀 더 확실한 정보를 요구했소."

"좀 더 확실한 정보라면?"

"그때까지는 다만 리처드의 추측에 불과했던 거 아니오? 중간 단계에서 돈을 계속 쓴 이유가 기술적 문제점이 있기 때문이란 건 어디까지나 리처드의 간접적 추론이니까. 그래서 확실히 문제가 있다는 증거나 증언을 확보하도록 부탁한 거요."

"그래서 리처드가 그걸 해냈습니까?"

"상당히 해냈소. 그는 조급하게 따라붙는 스컬리에게 딜을 제안한 후 자신의 추측에 대한 확인을 받았지. 나는 녹음을 하도록 부탁했지만 거기까지는 할 수 없었소."

"스컬리와의 딜이라고요?"

"그렇소. 스컬리 대장은 MD 구축에 인생을 다 건 사람이오. MD에 문제가 있다는 게 드러나 의회가 예산 집행을 중지시키면 모든 게 다 끝나는 거요. 그의 인생도 말이오."

"그러니 리처드에게 필사적으로 매달렸겠군요."

"나는 그 점을 노린 거요. 군인들은 단순해서 일단 고리를 하나 걸어놓으면 내놓을 수 있는 건 최대한 내놓는단 말이오."

"그럼 윌로우 기자가 터뜨린 그 고급 정보들이 실제로는 스컬리 대장으로부터 나온 거군요?"

윌로우는 천천히 고개를 끄덕였다.

"딜을 통해 정보를 순조롭게 빼냈다면 리처드는 왜 죽었죠?"

"조금씩 더 위험한 정보에 다가갔으니까."

"그 말은 스컬리가 자신이 설정한 경계 이상을 넘어오는 리처드 김을 더 이상 견딜 수 없다고 판단해 죽였다는 겁니까?"

"그렇소."

"스컬리를 엮어넣으려면 구체적으로 그가 지시를 했다는 증거가 있어야 합니다. 섣불리 기소했다간 오히려 이쪽만 피를 볼 테니까요."

"나의 이 증언만으론 부족한 거요?"

월로우 역시 자신에게 정보를 제공해 준 리처드 김이 떠오르는 듯 비감한 목소리를 토해냈다.

"정황으로는 충분합니다만 워낙 전문적인 분야라 스컬리는 빠져나갈 길이 많을 겁니다. 직접증거가 너무 없어요. 나는 이제부터 스컬리의 MD 사업단 관계자들을 하나씩 소환할 겁니다. 그들을 집중적으로 신문하다 보면 리처드 김의 피살에 관해 뭐가 나와도 나올 거예요."

스컬리 본인의 진술과 월로우의 증언은 대부분이 일치했으나 잭슨의 말대로 아직은 정황뿐이었다. 그러나 잭슨은 그 어느 때보다 추진력 있게 사건을 밀어붙이고 있었다. 방향이 확실하니 이제 결론까지의 시간만 줄이면 되는 일이었다.

12

연환방어

　군인답게 뒤로 빼지 않는 스컬리의 태도와 윌로우의 증언은 뉴욕경찰국을 매우 고무시켰다. 부국장은 물론 국장까지 잭슨의 등을 두드려주었고 수사의 한중심에 있는 잭슨은 나는 새도 떨어뜨릴 것 같은 자신감 속에서 MD 사업단의 주요 멤버를 순차적으로 한 사람도 빼지 않고 다 불렀다. ·

　"MD는 매우 복잡한 체계요. 그냥 직선으로 밋밋하게 비행하는 물체를 쏘는 게 아니오. 적들은 온갖 방법을 통해 레이더를 교란시킨단 말이오. 게다가 우리 요격 기술이 발전하는 만큼 적의 미사일도 실시간으로 발전하고 있소. 그러니 모든 게 처음 계획했던 대로 진행될 수는 없어요. 시행착오가 불가피하단 말이오."

"그러나 당신들은 그 사실을 숨겨오고 있었소. 그걸 리처드 김이 알아내 윌로우 기자에게 제보했고 특종이 나온 거요. 당신들은 마지막 순간까지 비밀이 전해지는 걸 막으려 수단 방법을 가리지 않았고 그 결과 리처드 김이 죽은 거지. 어서 실토하시오. 가장 먼저 실토하는 사람에게는 형량을 감해줄 수 있소."

"아니, 그게 무슨 비밀이란 거요? 회계에 조금만 지식이 있는 사람이 보면 MD는 중간 단계에서 계속 돈을 들이고 있었고 그 이유는 거듭된 실패라는 걸 알게 되어 있소. 그런데 그걸 무슨 대단한 비밀이라도 되는 양 이러는 게 말이 됩니까?"

잭슨을 비롯한 뉴욕경찰국의 베테랑 형사들은 계속 밀어붙였으나 스컬리 장군의 범죄 혐의는 도저히 찾아낼 수 없었다. 이들은 조사 상대를 바꾸기도 하고 강온 전략도 구사하는 등 온갖 고전적 방법과 수단을 다 동원했으나 쉽게 나오는 게 없었다.

"이상하군. 스컬리 본인이 마치 리처드 김 같은 인간은 죽어야 하고 자신이라도 죽일 것처럼 말하는 데다 윌로우는 스컬리야말로 확실하고 유일한 용의자라고 하는데, 그런데도 나오는 게 없어."

부국장이 뭔가 석연치 않다는 표정을 짓자 잭슨이 확신에 찬 목소리로 뒤를 이었다.

"저는 시간이 아무리 걸려도 반드시 혐의를 입증하겠습니다. 이것은 확실한 사건입니다."

그러나 어딘가 마뜩잖은 구석이 있는지 묵묵히 지켜보고만 있던 어민은 마지막 참고인의 조사가 별 의미 없이 끝나는 걸 보고는 조용히 경찰국을 나와 애크미로펌으로 향했다.

"이런 분은 거의 처음이에요. 라운트리 변호사님이 항시 만나주시는 분은, 더군다나 외국인이신데. 최 변호사님에게는 뭔가 특별한 게 있는 모양이죠?"

"글쎄요, 저희 김 변호사님과의 의리가 대단하신 것 같아요."

호들갑을 떠는 비서에게 어민은 그냥 머쓱하게 웃어 보이고 말았다. 기다리던 라운트리는 초 단위로 거금을 벌어들이는 거물 변호사답지 않게 편안한 인사로 어민을 맞이했고, 꾸뻑 허리를 숙여 인사한 어민은 테이블에 휴대폰을 꺼내놓았다.

"어서 와요, 최 변호사."

"스컬리 대장과의 통화와 윌로우 기자와의 대화 녹음이에요. 스컬리의 측근이란 측근은 모조리 잡아다 조사했는데도 별성과가 없어서, 혹 라운트리 변호사님이라면 뭔가 짚이는 데가 있지 않을까 해서요. 이걸 들어보면 틀림없이 스컬리가 관여를 하긴 한 것 같은데……"

어민이 폰을 켜자 잭슨과 스컬리의 통화가 흘러나왔다. 라운트리는 턱을 괴고 이를 쭉 듣고는 다시 월로우와 잭슨의 대화를 들었다. 끝까지 다 듣고서 묘한 표정을 지은 그는 처음부터 다시 한 번 반복해서 듣고는 폰을 덮었다.

"이건 이상한데."

"네? 심증으로만 보자면 완벽한 증거 아닐까요? 둘의 진술이 완벽히 일치하고……."

"그게 문제요."

"문제라니요?"

"이건 잭슨이 해결할 정도의 일이 아니었소."

"이렇게까지 스컬리의 의중이 공히 드러나는데요. 이 정도면 잭슨뿐 아니라 누구라도."

라운트리는 소파에 몸을 묻으며 손가락으로 제 무릎을 몇 번 쳤다.

"공히 드러난다? 그 반대요. 오히려 이 두 사람의 진술은 아주 이상해요."

"네?"

"스컬리가 줄곧 들어오려 하고 있지 않소?"

"들어온다니요?"

"잭슨 형사의 신문 속으로 말이오. 살인 혐의를 받는 사람이 기를 쓰고 살인으로 몰아넣는 사람의 신문 속으로 들어온단 말이오. 이게 이치에 맞는 일이겠소?"

"……?"

"모든 범죄자는 어떤 수를 쓰든 자신과 범죄의 연관을 없애기 위해 용을 쓰기 마련이오. 그런데 이 사람은 정반대요. 완전히 자신이 살인 동기를 가지고 있다고 유세를 하고 있잖소."

"그렇긴 하지만."

"이것은 거대한 자신감이오. 너희는 무슨 수를 쓰더라도 나를 어떻게 할 수 없다는. 그리고 그것만으로는 끝나지 않는 게 있소."

"네? 그게 뭐죠?"

"그 자신감은 이해할 수도 있소. 별을 네 개나 단 최고위 군인으로서, 또 만약 살인을 지령했다 하더라도 그 실행 라인의 엄격함을 믿는 수괴로서 충분히 그럴 수 있는 일이오. 그런데 이건 그것과도 좀 달라. 생각을 많이 해볼 일이오."

"어떤 부분 때문에 그렇게 생각하시는 겁니까?"

"윌로우."

"윌로우요? 그는 〈워싱턴포스트〉의 저명한 기자라 헛된 증언 같은 걸 할 사람은 아닐 텐데요."

"스컬리가 자신을 살인자로 몰아넣는 신문 속으로 못 들어와 안달이라면, 이 사람 윌로우는 누구나 하기 싫어하는 걸 앞장서서 하지 못해 안달이란 말이오."

"저는 변호사님 말씀을 도저히 알아듣기 어렵습니다. 좀 쉽게 설명해 주십시오."

"윌로우는 스컬리가 빼도 박도 할 수 없는 딱 떨어진 살인자라 증언하고 있잖소. 사람이란 자신이 두 눈으로 확실히 본 일도 증언하라면 거부하거나 망설이는 존재요. 특히 자신의 증언에 의해 누군가가 살인자로 규정되는 경우라면 아무도 쉽게 말을 하지 않소."

"……."

"그런데 이 사람은 너무도 확고부동하게, 그것도 무려 육군대장인 스컬리를 살인자로 증언하고 있소. 그러니 두 사람 다 이상한 거요. 여기에 무슨 내막이 있는지는 몰라도 이 사건은 결코 단순한 형사사건이 아니오."

"그러면 대체, 음…… 스컬리가 범인이 아닌 건가요? 아니 맞는 건가? 누가 되었든 살인범을 알 수 없는 건가요?"

"내 느낌에 이 사건은 살인자가 누구인지를 가려내는 게 중요한 것 같지가 않소. 뭔가 거대한 조직이 뒤에 있고 우리가 알 수도 짐작할 수도 없는 일이 진행되고 있는 것 같소."

"미사일을 둘러싼 조직적 범죄? 어쩌면 국방부까지 포함된 그런 음모 말씀인가요?"

"아니, 오히려 본체는 미사일이 아닐 거요. 스컬리나 윌로우나 하나같이 미사일을 이 사건에 엮어넣으려고 애를 쓰고 있으니까."

"실제 그러니까 그러는 건 아닐까요?"

"내 생각에는 미사일방어단장이라면 생리적으로 미사일 얘기는 가급적 하지 않으려 할 것 같소. 그러나 이 사람은 입을 벌리는 순간부터 닫는 순간까지 작정하고 미사일 얘기뿐이오. 그렇다면 살해 동기는 오히려 미사일이 아닐 가능성이 높지."

"미사일이 아니다?"

"그렇소. 다시 말하자면 이들의 진술은 처음부터 너무 의도적이오. 한사코 리처드 김을 미사일로 끌고 들어가면서, 동시에 스컬리에게 리처드 김에 대한 살해 동기가 있다고 하고 있소. 이건 연환방어라고 하는 거요."

"연환방어요?"

"그렇소. 이건 수사 자체를 불가능하게 만드는 거요."

"음."

"일단 스컬리는 리처드 김을 죽이지 않았소. 그러면서 본인이 죽인 것처럼 행동하는 거요. 그리고 윌로우는 스컬리에게 결정적으로 불리한 증언을 해대는 거지. 그러나 아무리 수사해도 스컬리는 연관되지 않았기 때문에 물증은 발견되지 않아요. 확신에 가까운 심증을 거짓으로 제공해 주니 수사는 시작부터 여기에 빠져서 영원히 헤어나오지 못하게 되는 거요."

"대체 왜 그런 짓을 하는 거죠?"

"아까 말했잖소. 스컬리와 윌로우라는 도무지 어울리지 않는 두 유력자가 짝을 이루어 미사일이라는 허상을 내세우며 사건의 실체를 숨기고 있소. 거대한 배후가 대단한 규모의 일을 진행하고 있다는 방증이지."

"그러면 리처드 김은……."

"맞아요. 바로 피살자 리처드 김이 이 사건의 모든 열쇠를 쥐고 있소. 그가 연구 끝에 다다른 결론, 그를 죽음으로 이끈 그 결론만이 저들의 실체를 가리키고 있는 거지."

"리처드 김의 연구……."

"잭슨이나 뉴욕경찰국이 아니라 CIA쯤 되어도 이 사건에는 근접할 수 없소. 외압이 엄청날 테니. 오로지 최 변호사, 당신만이 할 수 있소. 드러난 모든 사실을 잊고 오직 리처드 김의 연구를 쫓아가시오. 직접 리처드 김이 되어 그가 했던 생각과 추리를 따라가면 언젠가 그의 결론에 닿을 거요."

13

리처드 김의 부인

라운트리의 말은 구구절절이 옳았다. 생각을 정리하면 할수록 주위의 모든 것은 오히려 사건에 방해가 되는 것이었다. 세계은행, 스컬리, 윌로우, 뉴욕 경찰 모두가 사건의 초점을 흐리는 요소들이었고, 오직 하나 진실한 단서란 리처드 김의 연구뿐이었다. 그렇게 생각하니 오히려 마음이 홀가분했다.

어민은 호텔을 조용한 곳으로 옮겼다. 복잡한 머리를 비우고 다시 출발하리란 결심이었다. 작고 깨끗한 새 호텔은 눈이 튀어나올 정도로 비쌌지만 센트럴파크 부근이라 아침 산책길을 걷기에는 더할 나위 없이 좋았다.

우우우웅!

센트럴파크 순환도로를 따라 뛰고 있던 어민은 휴대폰 창에 뜬 잭슨의 이름을 보고는 고개를 갸웃거렸다. 전화를 하기에는 너무나 이른 아침 시간이었다.

"굿모닝, 잭슨!"

"초이, 그녀가 잡혔소."

"그녀라면?"

어민은 퍼뜩 리처드 김의 부인 수전을 떠올렸다. 리처드 김이 죽은 뒤 바로 뉴욕을 떠나 종적을 감추었다는 여자, 수상한 느낌이 드는 행적이긴 했으나 충격을 받은 여성으로서는 얼마든지 그럴 수도 있었다. 그런데 잡혔다는 말의 의미가 얼른 와 닿지가 않았다.

"리처드 김의 부인 말이오."

"잡히다니? 그녀가 살인범이란 말인가요?"

"아니요. 그게, 군사기밀 유출 혐의를 받고 있소."

"군사기밀이요?"

"나도 자세한 건 몰라요. 보스턴 경찰이 국방정보국의 요청에 따라 그녀를 검거했는데, 무얼 묻든 계속 묵비권만 행사하고 있다니. 하여튼 이따 경찰국에서 리처드 김 사건과 관련해 신문할 예정이오. 오후쯤 당신도 와요."

수전은 정숙해 보이는 여성이었다. 학자풍으로 보이는 한편 꼭 다문 입술은 의지가 강한 느낌을 주었다. 그녀는 별로 지치지 않은 듯 꼿꼿한 자세로 앉아 있었고 오히려 잭슨이 피로를 감추지 못한 얼굴로 고개를 절레절레 흔들었다.

"전혀 신문에 응하지 않고 있소. 물 달라는 말하고 화장실 간다는 말밖에는 아예 말을 한 마디도 안 하고 있는데, 그간 묵비권 행사하는 사람 많이 봤어도 이렇게나 입을 꼭 다물고 있는 사람은 처음이오. 인정신문조차 못했소. 최 변호사, 당신이 한번 해봐요. 같은 한국인이니까 좀 나을 거 아뇨."

어민은 첫눈에 수전은 이런 긴장과 피로가 잔뜩 깔린 조사실에서 되는대로 말을 주워섬기는 여자가 아님을 알아보았기에 조용히 수전에게 고개를 숙였다.

"한국에서 온 리처드 김의 변호사 최어민입니다. 혹시 도움이 필요한 일 있으면 말씀해 주십시오."

수전은 감고 있던 눈을 떴다. 고요하면서도 지적인 눈빛이었다. 그녀는 눈 하나 깜짝하지 않고 정면만 응시하며 어민을 무시했지만 어민은 다시 한 번 고개를 숙이고 조사실을 나왔다. 잠시 후 뒤따라 나온 잭슨이 어깨를 들썩하는 제스처를 취하며 한마디 내뱉었다.

"자기 남편 살인범 잡아준다고 해도 요지부동이오. 아예 입을 접착제로 붙인 거 같아. 보통 여자라면 아는 대로 다 말할 텐데. 남편이 누구를 만나고 누가 수상하고 등등 말이오."

"그녀가 받고 있는 혐의가 군사기밀 유출이라 했죠? 그게 리처드 김과 관련이 있을까요?"

"입을 꾹 다물고 있으니 알 수 없소."

"보스턴 경찰의 관련 서류가 왔을 거 아닙니까?"

"그쪽 얘기는, 국방정보국의 제보로 체포하기는 했는데 피의
자의 철저한 묵비권 행사로 조사를 못했으니 아는 게 없다고
하오."

"국방정보국이 주장하는 혐의는요?"

"미사일 기밀 유출이오."

"미사일? 구체적으로 어떤 기밀을 어떻게 유출하려 했다는
거죠?"

잭슨은 서류철을 가져와 국방정보국의 제보장을 보여주었다.

수전 김은 미국 미사일 요격 시스템의 핵심인 싸드와 관련
해 극히 예민한 정보를 보유하고 있는 자로, 비밀보장 각서
를 제출하였음. 그러나 이자는 정보를 신원 미상의 타인에게
유출해 군사기밀 유출 금지에 관한 법률을 위반하였음.

"신원 미상의 타인에게 비밀을 유출했다? 사건 자체가 너무
모호한데…… 이건 따져볼 점이 무척 많군요."

어민은 본능적으로 이것은 리처드 김 사건의 연장선상에 있
다는 걸 알 수 있었다. 미사일은 리처드 김 살인사건에도, 수전

THAAD

의 군사기밀 유출 사건에도 자리하고 있는 것이었다.

뉴욕경찰국에서는 하루종일 수전을 신문했으나 수전은 여전히 묵비권을 행사하며 어떤 조사에도 응하지 않았다. 조사는 다음 날에도 이어졌고 다음다음 날에도 이어졌으나 아무런 성과가 없었다.

"우리 경찰국에서는 더 이상 이 여자를 조사하는 게 무의미해요. 남편의 피살과 관련해 혐의가 있는 것도 아니니 사실 우리는 신문할 권리도 없어요. 혹시나 해서 소환했는데 다시 보스턴으로 돌려보내야겠소."

어민은 수전이 보스턴으로 실려가기 직전 조사실에 들어섰다. 혼자 있을 때도 꼿꼿한 자세로 앉아 있는 수전 앞에서 어민은 자신이 미국에 오게 된 내력을 풀어놓기 시작했다.

"저는 변호사가 된 지 3년이 되도록 사건 하나도 수임하지 못한 무능한 변호사였죠. 그러다 남편을 인천공항에서 만나게 되었어요. 첫 클라이언트인 셈이었죠. 제겐 정말 고마운 분이셨습니다."

어민이 엉뚱한 얘기를 꺼내자 수전의 기색에 순간적으로 옅은 변화가 지나갔다.

"리처드 김은 모친을 제게 부탁한 후 미국으로 가고 저는 제천으로 가 모친을 뵈었죠. 그때 제가 혹시 노인분의 속마음을 제대로 헤아리지 못할까 봐 녹음을 해둔 게 있어요."

수전은 여전히 반응을 보이지 않았지만 어민은 휴대폰에 녹음된 음성을 틀었다.

— 김 박사야 훌륭한 사람이지요. 비록 내 아들이지만 세상에 그런 사람 없어요. 그리고 우리 며느리도 한번 봐야 해. 어쩌면 그렇게 똑똑하고 착한 아이를 만났는지. 글쎄 미국에서 공부한 여자 같지가 않아요. 나도 미국 가서 살고 싶지만 아이들 공부하는 데 방해될까 봐 꾹 참고 있어요.
— 며느님이 공부를 하시나요?
— 아, 미국에서 어엿이 박사 따고 교수예요. 교수만 아니면 내가 미국 가서 살지. 그런데 그렇게 훌륭한 아이 공부 방해하면 쓰나. 난 여기서 그냥 김 박사 부부 생각만 하고 살아도 행복해요.

휴대폰을 조작하던 어민은 울컥하는 기색이 느껴져 고개를 들었다. 수전의 두 눈에서는 어느새 눈물이 흐르고 있었다.

"미안합니다. 절 믿지 않으시는 것 같아, 마침 녹음한 게 있기에……."

"훌륭한 분이셔요. 제게는 친어머니 같은 분이신데……."

수전은 그간 묵비권을 행사하느라 잔뜩 긴장했던 게 한번에 풀렸는지 한참이나 울었다. 남편의 죽음에서부터 검거까지 짧

THAAD

은 시간에 겪은 고뇌는 이루 말로 할 수 없을 것이었다.

"워싱턴의 태프트!"

수전의 흐느낌 속에서 거의 알아들을 수 없는 작은 소리가 흘러나왔다. 순간 어민은 본능적으로 주변을 둘러보았다. 누구도 들은 사람은 없는 것 같았다. 수전이 말문을 여는 걸 본 수사관들이 막 들어오고 있는 참이었다. 어민은 큰 소리로 신문을 시작했다. 수전은 언제 묵비권을 행사했던가 싶게 또랑또랑한 목소리로 답변을 이어갔다.

"국방정보국이 부인께 씌우고 있는 군사기밀 유출이라는 혐의를 인정합니까?"

"나는 비밀취급 인가자도 아니고 비밀보장 각서를 쓴 적도 없어요. 그런데 이상하게도 그게 만들어져 있어요."

"그럼 미사일에 대해서는 전혀 아는 게 없나요? 남편이 MD의 요격 성공률이 현격히 떨어진다는 걸 밝혔잖아요."

"나는 공간수학을 전공해 싸드의 고도 같은 문제에 대해 남편에게 도움을 줄 수 있었어요. 하지만 단순히 요격 성공률이 떨어지는 건 결코 기밀이 되지 못해요. 남편도 단지 MD의 예산낭비가 심했다는 정도의 이야기를 한 게 아니에요."

"그러면?"

"애초에 MD는 아무리 개량을 해도 요격 성공률 100퍼센트가 나올 수 없어요."

"그럼 그 막대한 예산을 들인 MD가 무용지물이라는 겁니까? 그렇다면 리처드에게 정보를 받아서 쓴 월로우의 기사에는 왜 그런 내용이 없는 거죠?"

어민은 수전이 세상에 알려진 것보다 한 차원 깊은 곳의 이야기를 하고 있다는 생각이 들었다. 그녀는 MD에 관해 다만 돈이 많이 들 뿐만 아니라 근본적인 결함이 있다고 말하고 있었다.

"남편은 월로우에게 정보를 준 적이 없어요. 알지도 못하는 사람이고요. 아마 그는 정부로부터 정보를 얻었을 거예요. 어차피 알려질 일이었으니까요. 여하튼 MD는 한 가지 조건이 있어야만 제대로 기능할 수 있어요."

"한 가지 조건?"

"MD를 살리려면 무조건 싸드를 한국에 배치해야만 해요."

"한국에 싸드를요?"

"네. 미국의 미사일방어망은 중국을 적국으로 상정하고 전개되고 있어요. 겉으로는 북한 핵과 미사일을 들먹이지만 실제로는 중국이에요. 원래 MD는 중국의 미사일이 날아오면 태평양 상공에서 격추시키도록 되어 있었지만, 성공률이 너무 낮아 싸드를 중국에 가장 가깝게 배치해야만 MD가 살아요."

"싸드 없는 MD는 무용지물이란 얘기군요?"

"네, 싸드는 미사일방어망 전체에서 중요도가 가장 높아요.

미사일도 미사일이지만 거기에 장착되는 레이더가 더 위력적이에요."

"고성능 레이더인 모양이지요?"

"일단 이 싸드를 한국에 배치하면 대륙간탄도탄을 포함한 중국의 모든 미사일은 무용지물이나 다름없어요. 발사하는 그 순간부터 레이더에 포착되어 선택적으로 어느 구간에서나 요격할 수 있으니까요."

"그러면 싸드가 북한 핵을 요격하는 용도가 아닌가요?"

"북한에서 남한을 향해 쏘는 미사일은 고도가 높을 필요가 없어요. 따라서 한국 정부는 패트리어트 같은 걸로 충분히 격추시킬 수 있다고 믿고 있는 데다 독자적 방어시스템도 구축하고 있어요. 싸드는 워낙 고성능이라 북한 핵 전용이라는 용도로만 보기에 딱 들어맞는 시스템은 아니에요."

"그럼 리처드 김의 살해 동기는 싸드인가요?"

"그게 살해 동기라면 저도 죽었어야죠."

"싸드가 아니라면 왜 억지로 증거를 조작해 부인을 붙들어 놓는 거죠? 부인이 아시는 건 싸드뿐인데."

"그들은 남편이 아는 걸 나도 알고 있을 거라 생각하니까요."

"남편의 연구 중 위험하다고 짐작되는 게 있나요?"

"남편은 자신의 연구에 대해 제게 얘기를 한 적이 없어요. 저를 보호하려는 거였죠. 수사에 도움이 되고 싶지만 저도 아는 게 없어요."

수전은 여기서 입을 닫아버렸다.

잭슨을 비롯해 수사관들이 추후 이런저런 질문을 했지만 수전의 닫힌 입은 열릴 줄 몰랐고 다시 긴 묵비권 행사가 이어졌다. 결국 뉴욕경찰국은 그녀를 보스턴 경찰서로 돌려보낼 수밖에 없었다.

"최 변호사, 대단한 능력이오."

"능력이랄 게 뭐 있나요?"

"어쨌든 저 여자가 말문을 열었잖소."

"남편의 죽음에 대해 아는 게 없었어요."

"미사일 얘기를 하는 것 같던데."

스컬리를 범인으로 강력하게 믿고 있는 잭슨은 어민과 달리 수전의 미사일 얘기에 큰 비중을 두고 있었다. 곧 그는 수사관 몇몇과 함께 수전의 녹취록을 들으러 다른 방으로 들어갔고 혼자 남은 어민은 그녀가 얼핏 던진 수수께끼 같은 말을 떠올렸다.

14

1조 달러짜리 평택 딜

'워싱턴의 태프트!'

어민은 수전이 비밀리에 토해놓은 한 마디를 수도 없이 곱씹
었다. 수전은 그 한 마디를 제외한 모든 정보를 너무도 당당히
흘렸다. 그것은 오로지 그 한 단어만이 위험한 정보라는 뜻이
었고, 그 단어를 해석하지 못하고서는 어떠한 진실도 드러나지
않으리라는 방증이었다. 아마도 그것은 사람의 이름일 것이었
다. 어쩌면 리처드 김을 살해했거나 그 배후에 있는 사람의 이
름, 이 사건을 해결하고 수전을 구해내는 데 결정적인 키워드
가 될 것임에 분명한 한 마디였다.

어민은 사방으로 은밀히 '태프트'라는 이름을 수소문했으나
아무도 정확히 아는 사람은 없었다. 간혹 돌아온 답변은 엉뚱

하기만 한 것이었다.

— 워싱턴의 유력자 중 태프트라는 이름은 없습니다. 유사한 직책으로는 워싱턴시청 청소담당 국장이 있고 전화번호는…….

이런 방법으로는 결코 닿을 수 없는 이름이라 생각한 어민은 원래의 사건에서 다시 관련성을 유추해 내야만 한다는 결론을 내렸다. 곧 그는 이 사건의 모든 부분에서 한 번도 빠진 적 없이 등장한 단어를 떠올렸다.

MD. 아직은 그것 하나만이 노출되어 있는 정보였다. 비록 연환방어의 미끼라지만 미끼란 본래 실체의 형상을 본뜬 것이니 전혀 관련이 없는 것도 아닐 것이었다.

"문자의 내용!"

어민의 생각이 거기에 미쳤다. 직접 살해에 가담하지 않았더라도 스컬리는 분명 배후세력의 일원이었고 곧이곧대로 리처드 김과의 모든 대화를 경찰에 증언하지는 않았을 것이었다. 리처드 김과 그는 밝혀지지 않은 모종의 대화를 나누었을 것이고, 그 대화의 물꼬를 트는 스타팅 포인트인 리처드 김의 문자는 휴대폰이 도난당한 탓에 알 수 없는 것이 되어 있었다. 휴대폰이 도난당한 까닭은 바로 거기에 있을 것이었다.

"문자의 내용은 무엇이었을까?"

어민은 혼자 가상의 메시지를 만들어보았다.

— 장군, MD는 요격 성공률이 50퍼센트에 불과하오. 그래서 지금 당신들은 미친 듯 예산을 쏟아붓고 있는 거요.

가장 가능성 있는 문자였다. 그러나 이런 정도로 장군이 직접 움직였을 것 같지는 않았다.

— 장군, 한국에 싸드를 배치하지 않는 한 MD는 무용지물이오.

이 또한 가능성이 없었다. 이것을 안다고 미국이나 한국 정부에 모종의 변화가 있을 일이란 없었다. 더군다나 수전과 같은 전문가들은 누구나 생각해 볼 수 있는 내용이었다.

또다시 생각이 막힌 어민은 하릴없이 리처드 김의 연구를 들여다보다 자리에서 일어섰다.

다트머스대학. 김용 총재는 리처드 김이 그곳에서 하던 연구에 매료되어 그를 데리고 들어왔으니, 그곳에는 무언가 흔적이 남아 있을지 모르리란 생각이 들었다.

"다트머스에서는 아주 가깝게 지냈어요. 김용 총장이 세계은행으로 옮겨가면서 데려가려 할 때 그는 많이 망설였지요. 이 학교를 워낙 좋아했으니까요."

어민은 리처드 김과 가장 가까웠던 한국인 동료 교수 데이먼 박을 만났다. 교수회관의 커피 코너에서 그는 리처드 김이 죽었다는 얘기를 듣자 손에 들고 있던 커피잔을 떨어뜨렸다.

"개자식들!"

"누구보고 그러는 거죠?"

어민이 신경을 곤두세우며 묻자 그는 이내 표정을 바꿨다.

"누군지 알면 내가 여기 가만있겠어요?"

"그런데 왜 개자식이라고?"

"여기서는 다들 개자식들이라 그러니까요. 강도가 됐든 마피아가 됐든."

어민은 데이먼 박을 상대로 리처드 김에 관해 차근차근 하나씩 묻기 시작했다.

"강도나 마피아 같은 범죄자들이 그를 해친 것 같지는 않아요. 한 전문가는 그가 진행하던 연구와 죽음이 연관되었다고 하던데, 어떻게 생각해요?"

어민의 물음에 박은 미간을 좁혔다.

"연구 내용 때문에?"

"네. 그는 최근 달러의 약세 연구에 몰두하고 있었어요."

"달러의 약세? 그건 누구나 하는 연구인데 그것 때문에 죽는다는 건 생각하기 어려운데요."

"꼭 달러가 아니라 하더라도 혹시 그가 위험한 발언을 하거나 하지는 않았나요? 평소 혹은 술에 취했을 때나."

"위험한 발언이라면?"

"누군가의 아킬레스건을 건드리는 발언이나 위키리크스 또는 스노든처럼 국가의 치부를 폭로하는 거 말입니다."

"하하, 그는 여기 다트머스에서는 평화주의자였어요. 우리는 연구하고 운동하고 가끔 모여 술 마시고 그렇게 지냈지, 뭐 거창한 게 없었어요."

"그래도 혹 기억나는 행동이 없습니까?"

"글쎄요…… 아! 그게 있구나."

"뭐죠?"

"온 학교가 다 깜짝 놀란 적이 있어요, 그때."

박은 기억이 난다는 듯 고개를 끄덕이며 대답했다.

"뭐죠, 그게?"

"그는 예전 백악관에 편지를 한 번 보냈는데…… 그때 워싱턴에서 새까맣게들 몰려왔어요, 학교에."

"워싱턴에서요? 누가요?"

"누군지는 몰라요. 하여간 정부 사람들인 거 같았는데. 거의 새까만 양복들을 입고 왔기 때문에 교수들이 농담을 하곤 했죠. 이번엔 CIA다, 요놈들은 FBI, 이자식들은 국세청이구나 하면서 다들 화제였어요."

"무슨 편지를 보냈는데요?"

"아쉽게도 그 편지 내용은 공개가 안 됐어요. 우리가 볼 땐 리처드 김과 정부 사이에 보안유지를 하기로 합의를 한 것 같아요."

"대략이라도 그 내용을 유추해 볼 수는 없을까요?"

"비밀은 아주 철저히 지켜졌던 거 같아요. 리처드 김이나 정부나 그 후 그에 대해 짐작해 볼 수 있는 티끌조차 안 나왔으니까요. 그런데……."

박은 잠시 뜸을 들이다 한 마디 내보냈다.

"하나 확실한 건, 그게 돈문제였다는 거예요. 편지글의 제목이 '1조 달러짜리 평택 딜'이었으니까요."

"딜이요?"

"내용은 몰라도 제목은 그랬어요."

"딜이란 거래라는 뜻인데…… 그 제목은 어떻게 알게 됐죠?"

"문제가 되기 전 우편물대장에 있던 거였어요. 처음에는 별생각 없이 썼는지, 리처드가 바로 지우긴 했는데 편지 심부름하는 조교가 기억하고 있었던 거죠."

"그 일로 리처드 김이 위험에 빠졌을 수 있을까요?"

"위험? 백악관에 편지 보낸다고 위험해질까요?"

"아니, 그래도 그렇게 많은 검정양복들이 몰려왔다면."

"싸우는 건 아니었고…… 좌우간 소리도 낮추고 문 앞도 지키긴 했지만 그리 대립하는 분위기는 아니었어요."

"그 후로 리처드 김이 협박에 시달리거나 하지는 않았을까요? 혹은 이번의 피살사건과 연관시킬 수 있다든지."

"그때 그러고는 그 후로 그 일이 문제되거나 리처드가 그걸로 신경을 쓴다거나 하는 걸 본 적은 없어요."

"그것 참, 궁금해지는군요. 1조 달러짜리 평택 딜이라니. 평택이 한국 경기도의 그 평택 맞는 거죠?"

"그걸 누가 물어봤었어요. 리처드가 웃으며 대답을 피하긴 했는데, 그 평택 말고 무슨 평택이 또 있겠어요? 이 지구상에."

"이상한 일이군요. 사람들이 워싱턴에서 그렇게 많이 내려왔다면서, 아무리 리처드 김이 입을 다물었더라도 모두에게 초미의 관심사였을 텐데 아무도 그 의미를 알아차린 사람이 없다는 건 이해하기 힘든데요."

데이먼 박은 장난기 어린 웃음을 머금고 어민을 바라보다 툭 내뱉었다.

"그럼 최 변호사가 한번 말해봐요. 그게 뭔지."

"미국이 평택을 살리나?"

어민이 생각나는 대로 내뱉자 박은 개구쟁이처럼 웃었다.

"그 수수께끼는 누구나 같은 길을 걸어가서 결국 똑같이 틀려요. 많은 사람들이 처음에 최 변호사처럼 생각하고 평택을 미국이 살 경우 땅값을 계산한 결과 20억 달러로 낙착 봤어요."

"미군부대가 그리 가잖아요. 그럼 거기에 어마어마한 군사시설을 갖출까요?"

"사람들이 그것도 생각했어요. 세계 최첨단 기지를 만든다 가상하고 견적을 냈는데 그것도 100억 달러 미만이에요."

"동북아 미군 총사령부를 만든다면?"

"150억 달러!"

어민은 웃으며 작별인사를 고하고 말았다.

"반드시 풀어볼게요."

"여기 현상금 30달러 걸려 있어요. 풀면 와서 받아가요."

어민은 다트머스를 떠나오면서 쓴웃음을 지었다. 양파 같은 리처드 김의 껍질을 한 겹 벗기러 갔다 오히려 한 겹 더 둘러쓰고 나오는 느낌이었다. 그러나 이 새로운 문제는 어민의 마음속에서도 큰 관심거리였다. 도대체 평택이라는 조그만 도시가 어떻게 1조 달러, 한국 돈으로 1천조 원에 연결될 수 있는지 흥미삼아 온갖 추측을 다 해보았으나 떠오르는 게 없었다.

우리의 분석 결과, 현재 한국 사회에서 여야 통틀어 2017년 대통령선거에서 가장 유력한 후보는 박원순이다. 그는 일단 선거 직전까지 서울시장직을 수행하다 바로 후보로 진입할 수 있다. 이것은 다른 어떤 후보도 누리지 못하는 특권 중의 특권이다. 현재 대통령인 박근혜도 지난 2007년 이명박과 대통령후보 경선을 치를 때, 당시 야당 대표인 자신이 쓸 수 있는 돈이 현직 서울시장인 이명박에 비해서 100분의 1도 되지 않는다고 크게 한탄했다고 한다. 서울시장이라는 자리가 대통령선거에서 얼마나 유리한지 알 수 있는 일화다.

게다가 박원순은 이미 젊은 시절부터 사회 각 분야의 시민운동을 주도해 왔기 때문에 이미지가 그 어떤 후보보다도 깨끗하다. 또 정치권 밖에 있었지만 여느 정치인보다 훨씬 유명했고, 유명한 정도 이상으로 보이지 않는 곳에서 선한 영향력을 발휘해 왔다. 활동 분야가 워낙 광범위해 한국 사회 곳곳에 박원순과 친구라는 사실을 자랑스러워하는 사람들이 넘쳐난다.

박원순이 다음 대선에서 야권 후보로 나서면 여권에서 가장 유력할 수 있는 두 사람을 완전히 떨어뜨려 버리는 효과가 있다.

한 사람은 역시 서울시장을 역임한 오세훈이다. 그는 시장 재임 당시 자신의 정책을 시장직과 연계해 투표에 부쳤다가 참패해 물러났다. 그 빈자리에 들어온 사람이 바로 박원순이다. 오세훈은 비교적 젊고 참신한 이미지에도 불구하고 서울시장직, 특히 박원순과 연결시키면 언제나 패자로 간주된다. 더구나 그가 시장직을 걸고 투표에 부쳤던 사안은 가난하고 어려운 학생들에게 점심을 공짜로 주는 안에 반대하는 것이었다는 이미지로 각인돼 있기 때문에 실제로 그의 선별적 무상급식이 맞든 틀리든 상관없이 그는 시대를 읽지 못하는 정치인으로 낙인찍혔다. 즉, 달러 인플레이션 속에 전세계의 물가, 그중에서도 특히 식량과 식료품 가격이 엄청나게 올라 하루 먹고 살기도 어려운 사람들이 매우 많아진 상황에서 서울시장이라는 사람이 중산층에서 떨어질락말락하는 사람들의 심리적인 불안감을 읽지 못하고 가진 자들의 편에 서 있다는 이미지를 준 것이다. 이런 이미지로는 평생을 가난하고 힘없는 사람들 편에 서온 것으로 인식돼 온 박원순을 절대 이길 수 없다.

또 한 사람은 역시 서울시장직에 도전했던 정몽준이다. 그는 2014년 지방선거 전만 해도 여야 통틀어 대통령후보로서의 지지도가 가장 앞섰던 인물이다. 그 높은 지지도를 믿고 서울시장선거에 출마했지만, 박원순에게 큰 표 차로 패배하고 말았다. 문제는 낙선의 원인이다. 물론 가족들의 소소한 말썽거리는 있었지만, 본질적으로는 그것 때문이 아닌 본인의 능력 면에서 박원순에게 완패한 것이다. 게다가 이미지 면에서 치명타를 입고 말았다. 서울시의 살림살이에 대해서 훨씬 정통해 보이는 박원순에 비해 빈약하고 무능한 모습을 그대로 다 노출한 것이다. 그렇다 보니 그의 선거운동은 창의적이고 개혁적인 새로운 발상들보다는 상대편 후보 박원순의 잘못을 꼬집는 네거티브 전략에 올인하게 되었고, 이는 오히려 유권자들의 반발심만 유발하고 말았다. 정몽준은 서울시장 선거에서 패배함으로써 가장 유력한 대통령후보 지지도 1위라는 자리까지 내놓게 되었고, 앞으로도 이를 회복할 특별한 기회는 없어 보인다.

2014년 서울시장선거에서 박원순은 이제껏 야권의 절대열세 지역이었던 강남, 서초, 송파에서도 상당한 표를 얻었다. 이는 박원순의 인기가 야당의 전통적 지지기반에만 머물지 않고 있음을 보여주는 것이다. 그의 이런 여권 성향 유권자에 대한 어필은 더욱 확장될 기미도 충분히 보이고 있다. 더구나 재선 서울시장으로서 초선 때 하지 못했던 일들을 다양하게 조정해 성과를 거둠으로써 대통령선거에도 순조롭게 접근할 것이다. 박원순으로서는 서울시장직을 잘 수행하는 것이 가장 좋은 대통령선거 운동이 되는 셈이기 때문에 누구보다도 좋은 위치에 있다고 할 수 있다.

그러나 우리에겐 가장 치명적인 대립구도를 만들어낼 대통령으로 보인다.

15

미국 정부를 향한 제안

뉴욕으로 돌아오는 길에 어민은 휴대폰을 꺼내 하나씩 메모해 가며 생각을 정리해 보았다.

1. 리처드 김은 어떤 비밀인가를 알아 살해당했고 그의 부인 수전 김은 그 비밀을 알 것이라는 이유로 누명을 쓴 채 구금되어 있다.

2. 리처드 김은 평소 가지 않던 낯선 곳에서 피살되었다. 그의 죽음의 흔적은 휴대폰에 있을 수밖에 없다.

3. 휴대폰에서 의심스러운 사람은 스컬리 장군이지만 그는 하수인에 불과하다. 그 배후에는 알 수 없는 자가 거대한 음모를 꾸미고 있다.

4. 리처드 김이 비밀을 알아내는 방식은 오직 하나, 달러 연구다.

　여기까지 적은 어민은 웃음이 나왔다. 아무리 생각해도 왕도는 없을 수밖에 없고 오로지 리처드 김이 했던 연구를 그대로 따라가는 길뿐인 것이었다. 그리고 리처드 김의 달러 연구란 지난번 컴퓨터에서 한번 보았듯이 각종 복잡한 통계와 수치로 범벅이 되어 있어 다시 들여다보기도 어려웠다.

　웃음은 이내 한숨으로 바뀌었고, 어민의 뇌리에는 이쯤에서 그만두고 한국으로 돌아가는 게 나을 거란 생각까지 새어들고 있었다. 리처드의 연구를 똑같이 쫓아가라니, 라운트리는 자신을 너무 과신하는 게 아닐까? 해낼 수 있을 것 같은 희망이 도무지 보이질 않았다. 그러나 한숨을 내쉬던 어민에게 서서히 세 사람의 얼굴이 떠올랐다.

　인천공항에서 자신에게 3천만 원이란 거금을 쥐어주며 어머니를 부탁하던 리처드 김, 아들의 죽음을 꼭 밝혀달라던 어머니, 그리고 마지막으로 리처드 김의 부인 수전이었다. 특히 수전은 이미 삶에 대한 의욕조차 잃어버린 얼굴이었다. 어민은 주먹을 움켜쥐었다. 살아오며 포기만을 거듭해 온 인생이었다. 한 번쯤은 정면으로 부딪치며 최선을 다해보자고 스스로 부르짖었다.

　　　　　　　　　　　　　　　　THAAD

"리처드 김의 컴퓨터를 다시 살피고 싶습니다. 이번에는 혼자 하겠습니다."

딜런은 다시 찾아온 어민에게 리처드 김의 의자를 권했다. 어민은 컴퓨터가 부팅되는 동안 모니터를 향해 깊이 고개를 숙였다. 이제는 사라져버린 컴퓨터 주인에게 마음으로부터의 인사를 올린 것이다. 그는 곧 주르륵 뜨는 파일명 위에 커서를 대고 하나씩 체크해 나가기 시작했다. 파일 이름이 조금이라도 의미심장하거나 특별하거나 하면 여지없이 파일을 열어보았지만 대개는 이해하기조차 쉽지 않았다.

어민은 파일을 분류하는 하나의 기준을 정했는데 그것은 시사성이었다. 리처드 김의 연구가 현실적으로 충돌을 일으킬 확률은 아무래도 시사성 높은 주제순일 터였다. 다행히도 리처드 김은 시사성이 있는 글에는 관련된 사진이라든지 뉴스 같은 걸 같이 붙여놓은지라 어민의 이해에 많은 도움이 되었다.

어민은 며칠간의 사투 끝에 시사성이 가장 강한 몇 편의 파일을 골라냈다.

「달러의 위기는 피할 수 없는가?」

「중국이 보유한 달러를 한꺼번에 판다면?」

「달러는 세계경제를 동반 몰락시킬 것인가?」

「달러를 미국 맘대로 찍지 못하게 하라!」

「미국 정부를 향한 제안」

어민은 자신이 골라낸 파일들을 빠짐없이 읽었다. 리처드 김의 연구를 읽어가는 동안, 그간 일상 속에서 친숙하게만 느꼈던 달러라는 돈이 갑자기 낯설게 다가오기도 했고 느끼지 못했던 달러의 위험성에 세계가 달라 보이기도 했다. 흥미를 느끼는 와중에도 어민은 이 가운데 리처드의 죽음과 연관시킬 만한 내용이 없는지를 꼼꼼하게 살피고 또 살폈다.

'모든 글이 다 위험하지 않은가!'

그랬다. 리처드 김의 글이란 이해를 하고 보니 모두가 거대한 규모의 위기를 다루고 있어 어느 것 하나 위험하지 않은 게 없었다. 어민은 비로소 리처드 김이 하던 연구를 본질적으로 이해할 수 있었다. 그는 달러 연구라는 수단을 통해 세계를 위협하는 위기들의 예시를 찾아내고 있었던 것이었다.

'이 글들이 위험을 초래했다고 가정한다면 하나의 조건이 있을 수밖에 없다.'

어민은 아무리 위험하더라도 이 글들이 남들의 주장과 유사

THAAD

하다면 이미 위험성은 사라진다는 데 착안했다. 리처드 김 혼자만의 주장이라야 위험을 초래할 것이라는 기준을 설정한 어민에게는 언제부터인가 자신감이 생겨나고 있었다.

인터넷에 접속한 어민의 손이 부지런히 마우스를 눌러댔다. 처음에는 리처드 김만이 생각해 낸 것인 줄로 알았던 달러에 관한 모든 위험성 제기, 특히 달러의 몰락 같은 문제가 이미 많은 다른 학자들에 의해서도 벌써부터 논의되고 있었다는 걸 알게 되자 어민은 자신의 기준 설정에 스스로 만족스러웠다. 논리를 좇아 설정한 기준이 있는 이상 어민은 다른 것에는 크게 신경 쓰지 않고 기계적으로 리처드 김만의 주장이 담긴 글을 찾으면 되는 것이었다.

「미국 정부를 향한 제안」

이 파일을 열어놓은 채 한참 인터넷을 뒤지고 이든에게 전화를 거는 등 비교 작업을 하던 어민은 마침내 눈을 빛내며 마우스 스크롤을 올려 이 글의 서두를 다시 정독하기 시작했다. 이 파일은 한국에서 열린 G20 당시 리처드 김이 한국 정부의 용역을 받아 20개국 재무장관 앞에서 발표한 글이었다. 이 파일만이 몇 날 며칠 인고의 시간 끝에 어민이 발견해 낸 리처드 김의 독자적인 글이었다.

한국과 중국 정부는 미국의 재무장관을 비롯한 정부 당국자들께 미국의 무역수지 적자를 해소하기 위한 새롭고도 진지한 방안을 제안하고자 합니다.

양국 정부는 미국 무역수지 적자의 기준점을 정해 달러 환율을 거기에 연동시킨다면 미국의 무역수지 적자가 기하급수적으로 늘어나는 걸 막을 수 있다고 생각합니다. 즉, 기준점보다 무역수지 적자가 늘어나면 달러화 환율은 자동으로 내려가는 시스템입니다.

적자가 줄어들 경우 역시 자동적으로 달러화 환율이 올라가도록 하면 미국은 무역수지 적자로 지나친 고통을 받을 일이 없어지고 국가의 안정성이 담보됩니다.

십수 번이나 글을 정독하고 관련 정보를 찾아보며 글의 내용을 파악한 어민은 눈을 동그랗게 뜨고 고개를 가로저었다.

1. 자국의 환율을 낮춰 무역에서 이익을 보자는 각국의 환율절하 전쟁.
2. 눈덩이처럼 불어나는 미국의 무역수지 적자.

그것이 G20에서 한국 정부가 상정한 세계 금융위기의 핵심 요소였는데, 리처드 김의 제안이란 이 두 문제를 오로지 미국

이익 위주로 풀어나가자는 것이었다. 미국이 무역에서 적자를 보면 달러화 환율을 내린다. 그것은 곧 미국의 적자를 세계가 공동 부담한다는 뜻이었고 이 시스템은 특히 중국에 엄청난 손실을 입힐 것이 번연했다. 그럼에도 중국은 이토록 불리한 안을 오히려 먼저 제안하며 나섰고, 그것은 대단한 미스터리였다. 그러나 더욱 이해할 수 없는 일은 그 제안의 결과였다.

'너무나 이상하지 않은가!'

어민은 재차 크게 고개를 가로저었다. 너무나 미국에 유리한 이 중국의 선물은 다른 나라들의 반대가 아닌 바로 미국 정부의 거부 때문에 채택되지 않았다. 도무지 이 결과를 이해할 수 없는 어민은 찾아볼 수 있는 모든 정보와 연구를 찾아 읽었지만 어디에도 이와 관련된 내용은 없었다.

'이토록 기분 좋은 제안을 거부한 이유라니, 대체 그런 게 있을 수 있단 말인가.'

참을 수 없이 답답해진 어민은 벌떡 자리에서 일어나 딜런을 찾아갔다.

"미국이 G20에서 무역수지 적자와 달러 환율을 연동하라는 기가 막히게 좋은 제안을 거부한 이유는 무엇입니까?"

"네?"

딜런은 어민이 생각지도 않았던 질문을 던지자 어리둥절해했다.

"무역수지 적자 때문에 큰 고민을 안고 있는 미국 정부로서는 그 이상 좋은 제안이 없는 거 아닙니까? 무역수지가 나빠지면 환율을 내리고 좋아질 때 올린다면 미국이 무역수지 때문에 위기에 빠지는 일은 아주 없게 되니, 이 이상 좋은 제안이 있느냔 말입니다."

"그건……"

딜런은 쉽게 대답하려다 갑자기 말문이 막혔다. 처음 들었을 때는 아무 대답이나 쉽게 할 수 있을 줄 알았는데, 막상 이유를 말하려다 보니 머리에 떠오르는 게 전혀 없었다. 딜런은 웃으며 인터폰을 눌러 연구원을 불렀다.

"지난 2011년, 아니 2010년인가 한국에서 열린 G20에서 미국 정부가 무역수지와 달러 환율 연동 제안을 거부한 이유를 설명해 주게."

"아, 본부장님. 죄송하지만 저는 그 이유에 대해 깊이 생각해 본 적이 없습니다. 다른 연구원에게 물어보시는 게 낫겠습니다."

딜런은 어민 앞에서 약간 창피한 듯 얼굴에 웃음을 머금었지만, 몇 사람의 연구원을 더 불렀어도 이상하게도 아는 사람이 없었다. 딜런의 화난 얼굴에 대고 마지막에 불려온 연구원이 변명처럼 말했다.

"원래 연구원들은 비정상적인 일에 대해서는 연구하지 않습니다. 어떤 이론도 모델도 나오지 않기 때문입니다."

딜런은 분노를 참으며 연구원을 내보낸 후 어민에게 겸연쩍게 웃으며 말했다.

"당시 미국 정부의 거부가 워낙 비정상적이라 따로 알아보아야 할 모양입니다."

"괜히 제가 엉뚱한 걸 물어 연구원들을 힘들게 했군요."

"아닙니다. 그런데 그건 왜 묻죠?"

"리처드 김의 연구가 그의 신변에 모종의 위험을 야기하기 위해서는 다른 학자들이 주장하지 않은 그 혼자만의 주장이 있어야 한다고 생각했습니다. 그렇게 찾다 보니 2010년의 연구만이 그 혼자의 주장이었고, 그것이 바로 G20에서의 제안이었습니다."

"달러를 연구한다는 것 자체가 사실 엄청나게 큰 비밀에 접하는 거죠. 깊이 들어가면 사람들이 모르는 일 천지예요. 그런데 나를 포함해 우리 연구원들이 그 당시 사정을 잘 몰라 대답을 못해드려 미안합니다."

"아니, 그건 경제이론이 아니니 연구원들이 모를 수도 있는 일이지요. 제가 당시 관여했던 사람들을 찾아 물어볼 테니 신경 쓰지 마십시오."

어민은 딜런과 작별하고 세계은행을 나오다 고개를 갸웃했다.

'아?'

어민은 얼마 전 통화했던 중국대사관의 펑첸 참사관을 떠올렸다. 그는 처음 리처드 김을 만난 게 2010년 G20이었다고 했고, 리처드 김은 중국과 협의해 이 제안을 내놓았다고 했으니, 펑첸은 당시 상황을 알 것 같은 생각이 들었다. 마침 그와는 만나기로 해두었던 터였다. 이전 그와 통화할 때 그가 얘기한 4년이라는 숫자와 리처드 김이 두 개의 이름을 쓰기 시작한 지 삼사 년이라는 숫자가 교차하던 기억을 떠올리며 어민은 의욕적으로 그의 번호를 눌렀다.

16

베일 속의 인물

펑첸 참사관은 포토맥강이 시원하게 내려다보이는 레스토랑의 한 방을 예약해 기다리고 있었다.

"맞습니다. 바로 그 무렵부터 알게 되었습니다."

어민의 예상대로 펑첸이 리처드를 처음 만난 것은 G20을 준비할 때였다.

"리처드 김은 그때 놀라운 주장을 폈어요. 미국의 무역수지 적자가 이미 디폴트 직전까지 왔다는 거였죠. 디폴트를 막으려면 엄청난 양의 달러를 찍어야 하는데 그러면 달러 인플레이션이 심화되다 결국은 세계경제가 동반 몰락한다는 거였어요. 그래서 그는 미국을 살려야 한다는 주장을 한 거죠."

펑첸은 당시의 내용을 잘 알고 있었다. 리처드 김의 연구를 집중적으로 추적해 온 어민도 이제는 어느 정도 세계경제를 이해하고 있었다.

"미국의 수지 보전은 결국 중국의 이익 감소일 것 같은데, 중국 정부가 리처드 김의 제안을 쉽게 받아들였나요?"

"처음 우리 정부와 학자들은 말도 안 되는 소리라고 크게 거부했지요. 자고 일어나면 흑자가 쌓이는데 왜 그런 짓을 하느냐고 모두 이구동성으로 반대했지만, 리처드 김이 세미나에서 '달러의 위기'라는 주제로 발표를 한 뒤부터는 모두 얼굴이 새카맣게 타버렸어요. 중국이 이기적으로만 처신하면 그 결과는 중국의 몰락이라는 구도가 한눈에 들어왔어요."

"그래서요?"

"모두 전폭적으로 그에게 찬성했습니다. 그렇게 오랜 동안 날카로운 눈으로 달러를 관찰해 온 그의 내공 앞에 모두 허물어졌던 거죠. 당시 상황은 갑자기 바뀌었고 우리는 거의 구걸하듯 미국에 제안을 내밀었죠. 우습게도 돈을 주겠다는 제안을 마치 구걸하는 거지처럼 내밀었던 겁니다."

"아이로니컬하군요."

"더욱 아이로니컬한 건 미국이 그 제안을 헌신짝 버리듯 거부해 버렸다는 사실이죠. 단칼에 잘라버렸다는 얘깁니다."

"그 이유는요?"

"아무도 그 이유를 아는 사람이 없었어요. 미국 대통령과 재무장관을 빼고는 아무도 그 이유를 몰랐어요. 심지어는 우리 중국과 한국의 제안 내용을 알고 쌍수를 들어 환영하던 미국의 외교관과 통상담당 관리들도 놀라 서로 멀뚱거리며 쳐다볼 뿐이었어요."

"리처드 김도 이유를 몰랐나요?"

"당시는 그도 역시 마찬가지였어요. 미국 정부가 무조건 제안을 받아들일 거라고 생각했던 그는 충격을 받은 모습이었어요. 그뿐만 아니라 세계은행, 국제통화기금, 각국 정상들, 아니 전세계의 금융 통상 전문가들이 모두 그 이유를 몰랐고 놀랐어요. 모두가 미국 대통령과 재무장관을 쳐다보았지만 그들은 그 이유를 밝히지 않았지요."

"그 후 오랫동안 리처드 김과 교분을 유지해 오신 걸로 아는데, 혹 어느 순간엔가 리처드 김이 그에 관해 얘기를 한 적은 없었나요?"

"리처드 김은 그건 경제를 다루는 사람의 결정이 아니라고 했어요."

"재무장관이 거부했다면서요?"

"다른 내막이 있다는 거죠. 그는 보이지 않는 위험한 사람이 세계경제에 끼어들었는데 그 사람을 반드시 추적해야 한다고 했어요."

'워싱턴의 태프트.'

순간 어민의 머릿속에 떠오르는 이름이 있었다. 수전이 알려준 바로 그 이름이었다.

"그가 누구라고 얘기한 적은 없어요? 혹시 태프트라는 이름을 입에 담은 적은 없었나요?"

"태프트? 그런 이름은 들어본 적 없어요. 하여튼 2010년 이후 리처드 김의 노력은 그 미지의 인물을 쫓는 데 집중되었어요. 그는 할 수 있는 수단을 총동원해 그 결정을 내린 사람을 찾으려 했어요."

"성과가 없었나요?"

"그가 찾아냈는지의 여부는 나로서는 알 수 없어요. 다만 나의 판단으로는 거의 불가능했을 거라는 생각이 드는군요. G20이라는 거대한 회담을 좌우했음에도 드러나지 않는 신분이란 미국 정부의 기밀과도 같은 거니까요. 아마 대통령과 재무장관을 포함해 서넛 정도만이 아는 일이겠지요. 일반인인 리처드 김이 닿을 수 있는 정보가 아니에요."

어민의 뇌리에 자신에게는 리처드 김을 죽일 강력한 동기가 있다고 주장하던 스컬리와 그의 주장을 뒷받침하기 위해 나서고 있는 윌로우의 목소리가 들려오는 것 같았다. 이런 거물 두 사람을 하수인처럼 부리는 배후의 인물이 지금 펑첸이 얘기하고 있는 그 미지의 인물과 어민의 뇌리에서 교차되고 있었다.

'아, 어쩌면 리처드 김의 죽음은 G20 때 이미 준비된 것일 수

도 있겠구나!'

리처드 김의 죽음을 미사일로 덮어버리려는 두 사람의 모습과 그의 죽음은 미사일 너머 그 배후에 원인이 있다고 얘기하던 라운트리와 수전의 모습 또한 교차되어 왔다.

"리처드 김의 그 작업은 위험했을까요?"

펑첸은 무겁게 고개를 끄덕였다.

"워싱턴은 전세계의 이익이 첨예하게 대립하는 곳이죠. 겉으로는 다들 웃고 점잖은 모습으로 남을 대하지만 그 속을 뒤집어놓고 보면 사실 모두가 보이지 않는 칼과 총으로 무장하고 있어요. 정부의 공무원들도 마찬가지예요. 아니, 어쩌면 그들이 더 무섭죠. 그들은 내놓고 살인을 하니까요."

"그 무렵부터 리처드 김은 김철수라는 이름을 같이 쓰기 시작했는데, 그건 알고 계셨나요?"

"아니, 모르지만 이해는 갑니다. 언젠가 그는 병원에 입원하기도 했어요. 아마도 저들에게 보이는 시위 같은 거였겠지만요."

"저들에게 보이는 시위라뇨?"

"리처드 김이 워싱턴에서 폭행을 당한 적이 있어요. 그는 집요하게 정부와 의회, 심지어는 군부까지 파고들었는데 나와 같이 의회 앞의 어느 식당에서 점심을 먹고 나오다 재무장관과 마주쳤어요. 장관은 리처드 김과의 만남을 극도로 피하던 터라 리처드 김은 그의 팔을 잡으며 얘기를 나누려 했어요. 순간 경호원들이 오인하고 그를 밀쳐 길바닥에 쓰러졌어요. 장관이 직접 일으키고 사과까지 했는데, 그는 며칠을 입원했어요. 가벼운 타박상이었지만 다소 과장되게 반응한 거죠."

"정부 인사들이 만나주지 않는 데 대한 항의성이었을까요?"

"그럴 수 있어요. 혹은 자신이 협박을 받고 있다는 사실에 대한 공표일 수도 있고요. 연구원이 정부로부터 폭행을 당했다고 하면 아무래도 관심이 생길 수 있으니까. 여하튼 그 후로 나는 1년에 몇 번씩은 전화를 걸어 안부를 물었어요. 그간 별다른 일이 없어 다행이라 생각했는데, 기어코 일을 당하고 말았군요."

"그럼 참사관님은 리처드 김의 죽음이 그때의 G20과 연관이 있다고 생각한단 말이군요?"

"G20, 그렇죠. 그때 미국 정부의 그 이해할 수 없는 거부, 그리고 그 배후의 인물이 거의 확실하게 관련되어 있을 겁니다."

"미국 정부의 그 이유가 참 궁금해지는군요."

어느새 의문은 본론으로 돌아와 있었다. 참사관과의 대화는 그간 어민의 추리가 틀림없다는 것을 확인해 주었고, 결국 처음 시작한 그 의문, 미국의 거부라는 의문을 풀어야만 모든 해답이 드러나는 것이었다.

"그래서 중국과 미국의 대결로 여겨졌던 그때의 G20은 중국에게 일방적으로 유리하게 끝났어요. 염려했던 위안화 절상 문제는 그냥 넘어갔고, 미국이 그 제안을 거부함으로 해서 무역 흑자 폭도 제한되거나 하지 않았으니까요."

"세계 경제학계는 아직도 그 이유를 내놓지 않고 있나요?"

"경제학계의 이유 분석은 없었지만 그 후 사태는 리처드 김이 우려하던 대로 흘러갔어요. 미국은 대량으로 달러를 찍어냈고 현재 달러 인플레이션은 광범위하게 진행 중이니까요."

"그렇다면 리처드 김이 염려하던 대로 세계경제의 동반 몰락이 다가오고 있는 게 아닐까요?"

"그거야 겉으로 봐서는 모르는 일이에요. 경제위기란 어느 날 갑자기 터지는 거지, 죽는다 죽는다 소리치면서 파멸로 가는 게 아니니까요. 지난번 서브프라임 사태에서 보았던 것처럼요. 어쨌거나 미국 정부의 당시 태도는 도저히 이해할 수 없었어요."

어민과 펑첸의 대화는 거기까지였다. 이후로 몇 가지 리처드 김에 관한 의미 없는 이야기를 주고받은 그들은 악수를 나누고 헤어졌다.

김문수

김문수는 경기도지사를 그만두면서 중앙정치 무대에 한 발도 내딛지 않은 상태에서 여당의 차기 대선 후보 선호도 1위에 올랐다. 이 놀라운 결과는 박근혜 정부의 많은 내각 구성원들이 윤리·도덕적으로 떳떳치 못하고 직업적 청렴도에서 너무나 한심한 모습을 보이고 있는 현실과 무관하지 않다. 특히 세월호 침몰 사고 이후 새로운 총리로 지명된 두 후보자가 다 깨끗지 못한 이력으로 사퇴를 할 수밖에 없었던 상황에서, 강직하고 청렴하기로는 여당 정치인 중 으뜸으로 평가받는 김문수의 인기가 수직 상승한 것이다.

한국은 매우 빠른 경제발전과 더불어 국민들의 정치의식도 매우 빨리 성숙하고 있기 때문에, 야당뿐만 아니라 여당 정치인도 이제는 청렴하고 도덕적인 면이 가장 중요한 덕목으로 꼽히고 있다. 그런 점에서 한평생 그렇게 화려하지 못한 자리에서 자기 자리만 닦아온 김문수가 새로이 부각되고 있는 것이다.

김문수는 자신이 차기 대통령후보로서 선호도가 매우 높은 것을 알고는 앞으로 상당 기간 인기가 없을 수밖에 없는 청와대와 새누리당을 피해 정치와 언론의 관심에서 사라져버리기로 결심했다. 그는 자신을 좀 더 겸허하게 돌아보겠다는 말을 남긴 채 국민 속으로 들어가 소록도 한센병 환자들에 대한 봉사를 시작으로 2017년 대선이라는 장도에 올랐다.

야당 후보들에게나 가능한 이런 방식을 택한 김문수가 과연 그의 계산대로 이후 결정적인 시기에 국민들의 인기에 힘입어 여당의 대선 후보가 될 수 있을지, 아니면 여당이라는 특수한 조직에서 국회권력이 없다는 이유로 대의원들의 마음을 잡지 못해 비주류로 전락하게 될지 두고 볼 일이다.

만약 청와대와 새누리당이 김문수가 국민 속으로 들어가 당과 국회를 떠나 있는 동안 국정을 매우 잘 수행한다면 김문수에게 기회가 주어질 가능성은 줄어들 것이다. 그러나 정부와 여당이 국민의 기대치에 미치지 못한다면 김문수는 언제라도 가장 유력한 후보로 올라설 수가 있다.

김문수는 일단 자신이 청렴하고 강직할 뿐만 아니라, 스스로 부패한 지방행정을 깨끗하게 바꿔본 경험이 있기 때문에 강직을 무기로 하는 법관 출신들보다 더 유리하다. 그는 도지사 취임 당시 청렴도가 엉망이었던 경기도를 짧은 시간 안에 상위권에 올려놓았다.

결국 2017년 한국 대통령선거는 여당의 김문수 대 야당의 박원순 구도로 갈 가능성이 크다. 그렇다면 이 싸움에서 누가 이길 것인가? 우리는 김문수가 이길 가능성이 좀 더 높다고 본다. 여기에는 두 가지 이유가 있다.

하나는 북한의 권력구조다. 김정일이 죽고 나서 권좌에 오른 김정은의 곁에는 고모부인 장성택이 있었는데, 그는 오랫동안 북한 권력의 핵심에 있었기 때문에 자기 사람이 많았고 무엇보다도 김정일-김정은과의 혈연관계로 가장 막중한 신임을 받고 있었다. 장성택은 북한을 개혁하기 위해서는 가장 먼저 북한 중심부에 굳건하게 위치하고 있는 군부를 바꿔야 된다고 생각했고, 그래서 김정은 집권 초기에 과감하게 군부의 일인자인 이영호 대장을 숙청했던 것이다.

그의 이런 놀라운 행보는 전세계의 이목을 집중시켰는데, 가장 충격을 받은 집단은 북한의 군이었다. 본래 김일성-김정일조차도 군을 두려워해 선군정치라고 해서 군을 모든 것의 앞에 내세우는 정치를 해왔다. 그런데 김씨 혈통도 아닌 장성택이 군 일인자를 숙청함으로써 북한은 새로운 가능성과 함께 엄청난 위험성을 잉태하게 되었고, 그것은 결국 불과 1년 후 장성택의 숙청으로 이어졌다. 외부적으로는 김정은이 장성택을 숙청한 것으로 비춰지고 있지만, 기실 김정은은 장성택의 숙청을 반대하고 그 결정에 저항하려 했다. 하지만 그랬다가는 본인 역시 권좌에서 끌어내려질 것을 알고 도중에 태도를 바꾼 것이다.

기관총으로 사살당한 장성택은 화염방사기에 의해 태워졌다. 기관총이나 화염방사기는 일반인들이나 경찰의 무기가 아니다. 즉, 군이 장성택을 처형했다는 이야기다. 다시 말해, 이것은 군에 대항한 자에 대한 군의 보복으로, 군을 공격한 자의 말로는 이렇게 된다는 것을 상징적으로 보여준 것이다. 장성택 숙청 이후 김정은은 뻔질나게 군부대를 다녀야만 했다. 군부에 대해 김정은이 보여주는 충성의 한 모습인 것이다. 겉으로는 군부가 김정은에게 충성하는 것처럼 보이지만, 실제로는 김정은이 군부에 충성하고 있는 것이다.

장성택을 숙청한 군부는 다시금 예전처럼 북한의 모든 분야에 강력한 손길을 뻗쳤고, 약간이나마 안정을 찾았던 북한 사회는 다시 흔들리기 시작했다. 앞으로도 김정은은 할아버지 김일성이나 아버지 김정일보다 훨씬 더 군에 맹종해야 할 것이다. 그에 따라 북한의 불안정성 또한 훨씬 높아져서, 남한에서 차기 대통령선거가 치러질 2017년에는 북한 변수가 선거의 중요한 이슈가 될 가능성이 매우 높다.

또한 북한은 고립되면 고립될수록 남한의 주요 선거 때 자신들과 비교적 우호적이라고 여겨지는 민주당에 유리한 쪽이 아니라 오히려 불리하게 만드는 돌발행위를 곧잘 하곤 했다. 이것은 이들이 근본적으로 변화와 개방, 개혁을 원치 않는다는 의미다. 이런 선례에 비춰 볼 때, 매우 불안정해 보이는 군부 집단이 2017년 남한의 대통령선거 즈음해서 한국 국민들에게 더욱 큰 불안감을 불러일으킬 돌발행동을 저지를 가능성이 높다. 이것이 2017년 대통령선거에서 새누리당 후보가 유리할 것으로 보는 첫 번째 이유다.

두 번째 이유는, 2017년 한국 사회의 인구 분포를 보면 알 수 있다. 50세 이상 연령층이 약 45퍼센트에 이르게 되는 것이다. 사람이 50대를 넘어서게 되면, 비록 젊어서 진보 또는 좌파 운동을 했던 사람이더라도 차츰 안정을 희구하게 되고, 따라서 약간의 모순이 있더라도 우파 후보를 뽑게 되는 성향을 보인다.

위의 두 가지 이유로 여당 후보인 김문수가 야당 후보인 박원순에 비해 유리할 것으로 전망되지만, 김문수에게는 큰 숙제가 남아 있다. 이것은 모순적이게도 그의 장점인 청렴하고 강직한 이미지와 연관이 있다. 정치는 기본적으로 여럿이 모여서 하는 것이고, 그런 점에서 정치인들에게는 나쁜 일을 같이 해

본 경험이 매우 중요하게 작용한다.

독일 속담에 '말을 같이 훔치는 사이'라는 말이 있다. 과거 독일에서는 말을 훔치다 붙들리면 바로 사형을 당했기 때문에, 매우 위험한 일을 같이 해봤거나 같이 할 수 있는 사이의 의리와 우정을 강조하는 것이다. 정의나 윤리·도덕보다는 나쁜 일을 같이 해본 동질감을 더 중요하게 여기는 현실정치를 기준으로 보면 김문수는 이런 점이 많이 부족하다. 즉, 나쁜 일을 같이 해본 동지가 없는 것이다.

국회에서도 김문수계로 분류되는 의원을 찾아보기 어려울 정도이니, 김문수가 그동안 혼자 걸어온 정치의 길에 어떻게 많은 사람을 끌어들여 함께 걸어가느냐가 매우 중요한 숙제인 셈이다. 그가 청렴하고 결백한 이미지를 쌓은 것은 부정한 돈을 받지 않아서인데, 이 점은 앞으로 그가 치러야 할 선거에서 상당히 어려운 문제로 작용할 것이다.

김문수가 풀어야 할 숙제가 또 있다. 그는 자신이 지금까지 보여온 모습과 앞으로 자신에게 표를 줄 사람들이 좋아하는 모습이 일치하지 않는다는 문제를 현명하게 해소해야 한다. 한국 사회에서 새누리당에 표를 주는 사람들은 정의롭고 윤리적인 사회보다는 풍성하고 여유 있는 사회를 원한다. 따라서 김문수가 견지해 온 정의와 도덕의 한계선을 뛰어넘지 못하면 김문수를 여당의 대통령후보로 내세우는 데 대해 많은 사람이 반대하게 될 것이다.

　결론적으로, 김문수는 여권 인사로는 드물게 청렴하고 강직한 이미지로 인기와 지위를 얻었지만, 여권의 대통령후보가 되기에는 그 청렴·강직 이미지가 오히려 짐이 될 것이다. 이 문제를 개선할 수 있는 하나의 방법은, 김문수가 어느 순간 매우 빠른 속도로 우측으로 급히 이동하는 것이다. 세간에서 김문수가 정신이 나갔다고 할 정도로 빨리 이동하면 그 속도에 따라 인기가 폭발적으로 상승할 것이다.

　현재 정몽준과 김무성이 누리고 있는 우측의 기둥 이미지를, 현재 새누리당에서 맨 좌측에 서 있는 김문수가 급히 이동함으로써 자기 것으로 만들 수 있고, 이로써 그동안 부족하다고 인식되었던 이미지를 크게 보강해 보수진영의 진정한 후보로 받아들여지게 될 것이다. 다만, 이러한 전략이 마치 몸에 맞지 않는 옷을 입은 것처럼 부자연스러울 텐데, 이 숙제를 김문수가 어떻게 해결하는지 지켜보면서 향후 계획을 수정해 나가면 될 것으로 보인다.

17

절묘한 가정

리처드 김의 위험이 2010년의 G20에서 미국이 이해할 수 없는 결정을 내린 배후의 인물을 좇은 데서 비롯되었다고 생각하자 그간의 여러 의혹들이 완전하게 하나로 조립되었다. 그러나 다다른 곳에는 너무나 견고한 장벽과도 같은 의문이 있었고, 이를 허물어뜨릴 무기는 전혀 없었다.

'어째서 미국은 그 제안을 거부했는가?'

어민은 또다시 리처드 김의 연구로 돌아갈 수밖에 없었다. 끝없이 길고 지루한 과정이었지만 이 과정을 그대로 따라가는 것만이 유일한 길이었다. 정신적 피로감은 말할 수 없었지만 한편으로는 열쇠를 찾아내기만 하면 모든 문제가 한 번에 풀릴 것이라는 기대감이 그를 지탱해 주었다. 지금은 죽이 되든

밥이 되든 2010년의 G20을 '공부'하는 것 외에는 방법이 없었다. 어민은 아침 일찍 퍼블릭라이브러리를 찾았다.

2010년 한국에서 열린 G20에 대한 당시의 기사와 논평을 모조리 모은 어민은 한적한 자리를 하나 골라 앉아서 이를 모조리 읽어나가기 시작했다. 모든 기사의 논조는 한결같았다.

환율전쟁으로까지 일컬어진 한국의 G20에서 최대의 승자는 중국이었다. 중국은 당초 예상됐던 위안화 절상이라는 무거운 펀치를 피해 지속적인 무역수지 흑자를 보장받았다. 미국은 국제사회가 미국의 수지 적자에 대해 책임을 져줘야 한다고 주장했지만 받아들여지지 않았고, 한국과 중국의 제안을 거부함으로써 안정보다 불안정을 택하는 이해할 수 없는 패자의 행보를 보였다. 가장 비참한 패자는 일본이었다. 일본은 엔저를 관철시키려 모든 준비를 갖추고 링에 올라갔지만 잽 한 방 던지지 못한 채 링에서 내려오고 말았다.

"이해할 수 없는 패자의 행보라······."

꽤 재미있게 쓴 신문의 논평은 어민을 의식하지 못하는 사이에 논리의 세계로 이끌었다. 논평은 세상 사람들이 품었던 의문을 한 마디로 정확하게 설명하고 있었다.

순간 어민은 뭔가 머리를 확 스치고 가는 느낌에 다시 기사를 읽어 내려갔다. 분명 어떤 느낌이 있었지만 그것이 무엇이었는지는 분명하지 않았다. 다시 한 번 찬찬히 기사를 살폈지만 찰나의 순간 지나간 그 느낌이 다시 돌아오지는 않았다. 그러나 어민의 머릿속에서는 다른 방향으로부터의 논리가 서서히 일어나고 있었다.

'그것이 패자의 행보가 아니라면?'

갑자기 어민의 머릿속이 시원한 한 줄기 폭포가 떨어지는 것처럼 쏴 소리를 내며 밝아졌다. 이상한 일이었다. 이제껏 리처드 김이 했던 연구를 따라갈 때의 그 갑갑하고 지루한 느낌이 씻은 듯 없어지며 전연 새로운 신천지가 전개되는 느낌이었다.

'당시 미국의 행보가 오히려 현명한 것이라면?'

뇌리에 떠오를 듯 말 듯한 이 생각을 구체화시키기 위해서는 대화를 나누며 함께 논리를 짚어갈 상대방이 필요했다. 어민은 급히 평첸에게 전화를 걸었다.

"최 변호삽니다."

"무슨 일이 있습니까? 목소리가 많이 급하군요."

"그럴 수밖에요. 이제 막 놀라운 생각이 떠올랐으니까요."

"리처드 김 얘긴가요?"

"물론입니다. 만약 그 당시 미국의 결정이 이상한 게 아니라면 어떻게 되는 겁니까?"

"무슨 얘기죠?"

"전세계가, 심지어는 미국의 관리들조차 이상하게 받아들였던 당시 미국의 결정이 어쩌면 매우 정상적인 것일 수도 있지 않습니까?"

"……"

펑첸은 황당한지 바로 대답을 하지 않았다.

"저는 미국이 그렇게 어리석은 나라라고 생각하지는 않습니다."

"그야 당연하지요."

"많은 사람들이 그렇게 생각하면서도 당시 미국의 결정은 어리석었다고 몰아붙이고 있는 거죠. 이건 모순 아닐까요?"

"그러면?"

"미국의 논리가 따로 있다면요? 한국이나 중국이나 기타 전세계의 다른 나라들과 시각을 달리하는 미국만의 시각이 있다면요?"

"그게 뭐란 얘기죠?"

"아직 생각이 거기까지 닿지는 않았습니다. 하지만 미국이란 나라의 대통령과 재무장관이 그렇게 이상한 사람이라고는 생각되지 않습니다."

"리처드 김은 그 결정을 경제를 모르는 사람이 내린 거라고 추측했어요."

"그것까지 포함하는 거죠. 이렇게 생각해 볼 수 있지 않을까요? 미국은 처음에 경제논리를 따라 위안화 절상을 압박하고 그걸 관철시키려 했던 겁니다."

"중국은 그것을 겁냈던 거죠. 그래서 그 정상회담을 미국과 중국의 환율전쟁이라 불렀으니까요."

"거기서 중국이 이겼다 그러셨죠?"

"완승이었어요."

"그게 오히려 이상하지 않습니까?"

"……?"

"미국이 거기에 중국처럼 전력을 쏟았다면 그렇게 완승을 할 수 있었을까요? 당시 코너에 몰렸다고까지 했던 중국이?"

"……."

"그게 바로 증거입니다. 미국에게는 틀림없이 미국만의 생각이 있었어요."

"그러니까 그게 뭐란 얘기예요? 리처드 김은 물론 모든 경제 전문가들과 정반대의 생각이?"

"저는 좀 더 생각해 볼 게 있습니다. 다만 하나, 리처드 김과 반대로 생각하면 머리가 무척 시원해진다는 건 확실히 알게 되었어요."

"네?"

"다시 전화 드리겠습니다."

어민은 전화를 끊으며 다시 생각에 빠져들었다. 묘한 일이었다. 정말 리처드 김과 반대로 생각하니 막히는 게 하나도 없었다.

'이게 과연 타당한 일인가?'

어민의 생각은 리처드 김이 수행하던 연구로 뻗어갔다. 그는 달러의 약세를 넓고도 깊게 연구한 사람이었다. 그러나 그의 연구를 아무리 들여다봐도 그의 죽음과 연결시킬 수는 없었던 걸 떠올리며 어민은 시각을 바꿔보았다.

'만약 그가 했던 연구가 달러의 강세라면?'

그러나 다음 순간 어민은 고개를 가로저었다. 분명 그가 했던 연구는 달러의 약세에 집중되어 있었고, 보고서의 제목이나 숱한 논문의 제목도 모조리 달러의 약세였다. 그러나 이렇게 생각하자 다시 머리가 아파지기 시작한 어민은 고집스럽게 그의 연구를 달러의 강세로 바꿔버렸다.

'그는 어떻게 하면 달러가 강해지는가를 깊고 넓게 연구해 왔다. 그러다 모두의 예상을 초월하는 기가 막힌 방법을 생각해 냈다.'

역시 머리가 한결 편해졌다. 달러가 약할 수밖에 없는 세상에서 달러가 강해지는 방법은 오히려 생각하기에 단순했다. 어민은 다시 펑첸의 번호를 눌렀다.

"이제 모든 게 해결됐어요. 리처드 김은 어느 순간 갑자기 달러를 폭발적으로 강하게 만드는 방법에 생각이 미쳤어요. 그게 달러의 약세를 연구하다 부지불식간에 떠오른 생각인지 아니면 G20의 비정상적인 결정을 추적하다 깨닫게 된 건진 몰라도요."

"……."

"그리고 그게 죽음의 원인이 되었어요. 그는 아마 어느 순간 그 G20에서 미국이 자신의 제안을 거부한 것은 이상한 게 아니라고 생각했을 거예요."

"그러면 그는 어떤 결론에 도달했다고 생각하는 거죠? 강한 달러를 만들기 위해?"

"아직은 가정일 뿐이에요. 하지만 확실한 건, 그는 결론에 도달했어요."

"어째서 그렇게 생각하는 거죠?"

"그가 죽었으니까요."

"그건 이해하기 어려운데요. 강한 달러를 만드는 숙제를 푼 사람은 죽고 풀지 못한 사람들은 죽지 않는다는 게. 보통은 그 반대가 아닐까요? 물론 숙제를 못 풀었다고 죽지는 않지만."

"리처드 김을 둘러싼 일들은 보통 세상과 정반대로 흘러간다고 생각하면 맞는 거 같아요."

"흠, 강한 달러를 만드는 길을 찾아내고는 죽임을 당했다?"

"네. 그 길은 매우 위험한 비밀이라는 뜻이에요."

"너무 상식과 어긋난 얘기라 저는 좀 이해하기가……."

어느 정도 어민의 말을 따라오던 펑첸은 마지막에 가서는 도저히 이해하지 못하는 눈치였다.

"그렇게 생각해야 출발이 돼요. 물론 아직 숙제가 많이 남았지만."

어민은 아직 무슨 말인지를 깨닫지 못하는 펑첸을 전화기 속에 남겨두고 전화를 끊었다.

18

위험한 해답

다음 날 어민은 세계은행으로 갔다.

"리처드 김의 연구 자료 전체를 다시 한 번 봐야겠어요."

딜런은 도무지 지치지 않는 어민을 괴물 보듯 쳐다보며 이든을 불러주었다. 어민은 옆에 이든을 앉혀놓고 다시 한 번 리처드 김의 연구를 신중하게 들여다보았다. 물론 이번에는 달러의 약세라는 관점이 아니고 강한 달러를 만드는 길이라는 새로운 시각이었다.

몇 번이나 보았던 파일들을 다시 읽어본 뒤 어민은 잠시 목을 뒤로 젖히고 생각을 정리하는 듯 눈을 감아버렸다.

"이봐요, 이든."

"예."

"달러를 폭발적으로 강하게 만드는 길이 있을까요?"

"그런 길이 있으면 미국이 이렇게 헤매지는 않겠지요."

"만약 중국과 미국의 입장이 거꾸로 된다면 어떨까요?"

"미국의 무역수지가 흑자로 전환되고 중국이 적자로 돌아선다는 얘긴가요?"

"네."

"그런 일은 일어나지 않아요."

"만약 그렇게 만든다면?"

"불가능하다니까요!"

"지금의 세상을 한번에 뒤집어버리면 어떻게 되죠?"

"세상을 뒤집다니요?"

"전쟁을 일으키면요?"

"네? 전쟁을?"

"미국이 중국을 상대로 전쟁을 일으키면요?"

"……."

"우선 미국이 부담하는 막대한 국채 이자가 없어지겠지요. 현재 중국이 보유한 미국 국채가 1조 5천억 달러가 넘는다면서요?"

"중국인들이 보유한 미국 국채를 전부 합하면 2조 달러가 넘을 거예요."

"미국과 중국 간 전쟁이 일어나면 그 채권들은 다 어떻게 되죠?"

이든은 잠시 생각하더니 얼굴이 상기되어 대답했다.

"모두 휴짓조각이 되죠."

"중국이 현금도 많이 보유하고 있잖아요?"

"중국이 보유한 것만 최소 1조 달러, 전세계의 중국인들이 보유한 것까지 치면 2조 달러가 될지 모르죠."

"그건 어떻게 되죠?"

"역시 사용할 수 없어요."

"그러면 중국의 산업시설은요?"

"전쟁이 난다면 미국이 기회라 생각하고 중국의 산업시설을 초토화시키겠죠. 미국과 중국의 경제 규모는 비슷하지만 군사력은 미국이 열 배는 셀 거예요."

"그리고 전쟁배상금은요?"

"그거야 부르는 게 값이겠죠. 몇 조 달러가 되든."

"달러 가치 그 자체는 어떻게 되죠? 전쟁이 나면?"

"국제 시장에서는 오직 달러만이 힘을 쓰게 되죠. 다른 모든 화폐는 거의 국내에서만 쓰이게 될 거예요. 물론 경제력이 약한 나라들의 환율은 미국 달러에 대해 엄청나게 내려가겠죠. 그러고 보니 정말 전쟁이야말로 미국 달러의 폭발적 승리가 되는군요."

"혹시 2010년의 미국은 이걸 염두에 두고 그 제안을 받아들이지 않은 건 아닐까요?"

이든은 말이 없었다. 어민의 입에서 터져나오는 마치 폭풍 같은 질문에 곧이곧대로 대답하다 보니 결론은 엄청난 곳에 도달해 있었다. 어민 역시 마찬가지였다. 리처드 김의 연구를 기계적으로 뒤집은 결과는 주변의 모든 어려운 문제를 일거에 해결하고 있었다.

"리처드 김은 죽도록 달러의 약세를 연구하다, 혹은 G20의 그 이해할 수 없는 결정을 이해하려 노력하다 어느 날 광기가 치밀었고 자신도 모르게 이런 결론에 도달했을 거예요."

말을 마치는 순간 어민의 뇌리에 맨 처음 스컬리 대장에게 보냈을 리처드 김의 문자 메시지가 떠올랐다. 그것은 MD에 문제가 있다는 정도의 수준이 아니었다. 죽음까지 불러온 치명적인 문자. 어민은 얼마 전 자신이 이리저리 상정해 보았던 리처드 김의 그 문자가 어떤 내용이었는지 또렷이 깨달을 수 있었다. 어민은 멍하니 정신이 나간 이든을 남겨둔 채 세계은행을 나섰다. 더 이상 이든과 이야기를 나눌 성질의 일이 아니었다.

"애크미로펌으로 갑시다."

어민은 급히 택시에 올라탔다. 이 얘기는 라운트리와 나누어야 할 것이었다. 그것도 한시가 급하게.

라운트리는 예상과 달리 놀라지 않았고 설명을 요구하지도 않았다. 그는 리처드 김이 미국은 중국과의 전쟁을 통해 일거에 모든 역경을 헤치고 다시금 유일한 초강대국의 위치로 복귀할 수 있다는 결론에 이르렀다는 어민의 말을 듣고는 알 수 없는 낯빛으로 고개를 끄덕일 뿐이었다.

"리처드 김이 스컬리 대장에게 어떤 문자를 보냈는지 알 것 같습니다."

"말해보시오."

"장군, 당신들은 전쟁을 준비하고 있소. 중국과의 전쟁 말이오."

알 듯 모를 듯 라운트리의 고개가 미세하게 끄덕여졌다. 그는 말없이 어민을 바라보다 한 마디를 던졌다.

"리처드 김의 그 말이 위험성을 완전히 갖추려면, 즉 죽음을 부르려면 어떤 조건이 더해져야 하는 거요?"

"스컬리 쪽에서 이미 준비가 진행되고 있어야 하겠지요."

"전쟁 준비 말이오?"

라운트리의 낮은 목소리가 방에 울려퍼졌다. 막상 그의 입에서 그 한 마디가 나오자 어민은 단지 논리적으로만 파악해온 리처드 김의 위험성이 바로 피부에 와닿는 걸 깨닫고는 흠칫했다.

"그들이 지금 정말로 전쟁 준비를 하고 있는 중이라야 리처드 김이 위험해지는 필요충분조건이 성립하는 거요. 과연 그들은 지금 전쟁 준비를 하고 있는 것이겠소?"

라운트리의 눈길이 어민의 입술에 정통으로 날아와 꽂혔다.

"제가 알 수는 없지만, 변호사님 말씀대로 그것이 리처드 김의 죽음에 필요한 충분조건입니다."

"그것은 핵전쟁이오?"

"네?"

논리적 귀결로 전쟁을 이끌어냈을 뿐인 어민은 라운트리가 진지하게 전쟁의 안으로 들어가 묻는 말이 너무도 무겁게 느껴졌다.

"미국이 중국을 상대로 하는 전쟁은 핵전쟁인가 말이오."

"저는 그건 생각해 본 적이 없어요."

"어쨌든 최 변호사의 생각은 틀린 데가 없소. 분명 미국은 전쟁을 생각하고 있을 거요. 다만 그 주체가 누구이고 어느 정도 진행되고 있으며 어떤 형태의 전쟁을 치르려 하는가를 알아야겠지."

어민은 라운트리가 이렇게까지 구체적으로 얘기하자 덜컥 겁이 나면서 과연 자신이 유추한 리처드 김의 결론이 맞는가에 대해 조심스럽게 돌아보았다. 그러나 그토록 해결점을 찾지 못하고 꽉꽉 막혔던 모든 의문점들이 이 단어 하나로 시원하게 다 뚫리는 것만은 틀림없었다. 더욱이 자신이 아는 한 가장 명석한 두뇌를 지닌 사람인 라운트리가 눈앞에서 그의 결론을 인정하고 있었다.

"리처드 김의 부인을 만났는데, 그녀는 한국에 싸드를 배치하면 중국의 미사일들은 전혀 힘을 쓰지 못한다고 했습니다."

"그렇다면 리처드 김은 이미 전쟁의 양상까지 생각했다는 얘기군요."

어민은 고개를 끄덕였다. 그때는 생각하지 못했는데 지금 보니 수전이 싸드에 대해 상세히 알고 있다는 것은 그들 부부가 이미 전쟁이 어떤 모습으로 진행될지 생각하고 있었다는 얘기였다.

"워싱턴의 태프트라는 사람을 찾아야 합니다. 당시 부인이 이 이름을 알려줬는데, 아마도 이 사람이 열쇠를 쥐고 있는 것 같습니다."

"그것은 아마도 별명이거나 암호명 같은 것이겠군요. 이름 앞에 워싱턴이란 말이 붙은 걸로 봐서는."

"그런 것 같습니다. 그는 밖에 알려지지 않은 그들의 비밀을 알려줄 사람일 수도 있고 리처드 김이 쫓던 그 사람일 수도 있을 것 같습니다."

"그 사람이라면?"

"G20에서 미국으로 하여금 이상한 결정을 하도록 한 사람, 리처드 김이 지목했던 배후의 인물 말입니다."

라운트리는 잠시 생각하다 물었다.

"리처드 김의 부인은 지금 어디에 있소?"

"국방정보국의 제보로 보스턴 경찰에 검거되었어요. 아마 지금은 구치소에 있을 걸로 판단됩니다."

"혐의는?"

"군사기밀 불법 유출이에요."

"음."

라운트리는 뭔가 말을 하려다 어민의 얼굴을 한번 쓱 쳐다보고는 더 이상 말을 잇지 않았다.

윤상현

한국의 여당인 새누리당에서 2017년 대통령선거 후보가 되려면, 현재 시점에서 5퍼센트 이상의 지지를 받고 있어야 한다. 이 기준에서 가능한 사람은 김문수, 정몽준, 김무성 정도다. 간혹 5퍼센트 이상의 지지를 받는 사람이 있기는 하지만, 지속적인 지지도가 아니기 때문에 유의미한 분석 대상이 되지는 않을 것으로 보인다.

다만, 새누리당에 지금 하나의 전연 다른 가능성이 있을 수 있다는 점을 간과해서는 안 된다. 우리가 파악한 그 가능성은 박근혜라는 매우 특별한 사람으로부터 시작된다. 박근혜는 집권 1년 반 만에 자신과 앙금이 남아 있는 김무성을 당 대표로 맞이하는 불운을 경험했다. 임기가 아직 3년 반이나 남아 있는 대통령으로서는 잠재적 대권 후보인 김무성과의 동거가 껄끄럽기만 할 것이다. 한편, 김무성으로서는 현재 '불통'과 '인사 실패'로 특징지어지는 청와대가 시키는 대로 끌려가기만 한다면 차기 대권 후보로서 자신의 이미지가 엉망이 되기 때문에 작심하고 청와대를 공격할 수밖에 없다. 박근혜로서는 한때 가신이었던 김무성으로부터의 공격이 그 누구의 공격보다 아프고 쓰릴 것이다.

그 누구보다도 싸움에 강한 박근혜는 보통의 대통령들과는 달리 자신의 임기 말을 레임덕으로 무력하게 보내지 않으려 들 가능성이 있다. 소극적으로는 끝까지 청와대의 영을 세우려 하겠지만, 각료임면권 정도로 성에 차지 않는다면 완전히 새로운 판을 짜려고 시도할 가능성도 배제할 수 없다. 김무성이 계속 박근혜의 신경을 건드리고 급기야 분노를 야기하면 박근혜는 선례고 뭐고 없이 김무성을 정면으로 깨뜨리려 할 수도 있다. 그때 박근혜가 만약 세대교체라는 카드를 꺼내든다면, 이는 상상치도 못할 큰 무기가 될 것이다.

대구와 경북 지역은 언제나 박근혜의 든든한 아성이었고, 대구 경북 출신 정치인들은 앞으로도 박근혜를 위해서라면 무엇이든 할 개연성이 있다. 이처럼 대구 경북에 뿌리가 깊은 박근혜와, 새누리당의 노쇠한 정치에 환멸을 느낀 지지층을 잘 묶어낼 수 있는 젊은 정치인과의 결합은 차기 대통령후보 경선에서 의외의 파괴력을 발휘할 수 있다.

현재 지지도 5퍼센트 이상을 꾸준히 유지하고 있는 김문수, 정몽준, 김무성은 모두 1951년생으로 차기 대통령선거 해인 2017년 다 육십대 중반을 넘어서게 된다. 육십대 중반이 늙은 나이라고 할 수는 없지만, 젊은 후보는 새누리당이 가장 목말라하는 젊은 층으로의 확장성이란 측면에서 유리하고 보수의 약점인 변화와 개혁의 상징성도 있어, 현직 대통령인 박근혜가 자신을 던지고 나오면서 세대교체를 외치면 그 결합력은 가히 폭발적일 것이다.

그렇다면 현재 여권에서 세대교체의 기수로 나설 수 있는 인물로 누가 있을까? 박근혜와의 두터운 관계, 명민한 두뇌와 날카로운 언변을 가진 윤상현이 가장 유력하다. 아무런 정치적 기반이 없던 그는 가장 짧은 시간 안에 오로지 혼자만의 노력으로 보수여당에서 전대미문의 두각을 나타냈고 재선의 일천한 경력으로 사무총장을 맡아서는 절묘한 공천으로 불리한 선거를 뒤집어 능력을 보여주었다. 그런데 이 인물에게는 결혼과 이혼 전력이 위기와 동시에 기회를 제공할 것으로 보인다.

윤상현은 1985년 당시 대통령이었던 전두환의 장녀와 청와대에서 결혼했으나 2005년 이혼했다. 전두환의 권력이 절정을 구가할 때 사위가 되었다가 힘을 잃은 후 이혼했기 때문에 기회주의자라는 이미지가 강하게 인식되어 있다. 게다가 2010년 재혼한 여성이 롯데 신격호 회장의 집안이기 때문에 그런 이미지가 더 굳어졌다.

그러나 우리가 다방면으로 자료를 입수해 윤상현이 전두환의 딸과 사귄 과정이나 이혼한 과정을 분석한 결과, 권력의 핵심에 접근했다가 힘을 잃은 권력을 버린 게 아니고 오히려 한 남자로서 끝까지 가정을 지키려 했지만 부인의 사정으로 어쩔 수 없이 헤어진 것으로 판단된다. 이런 사실이 적절한 기회에 알려진다면 오히려 동정과 공감을 유발할 수 있을 것이다.

윤상현은 그간 중요한 순간마다 몸을 아끼지 않고 가장 직선적으로 보수의 이미지를 지켜와 보수 대중에게는 색깔이 뚜렷하고, 당내에서는 위기에 빠진 동료 정치인들에게 손을 내미는 등 의리를 보임으로써 여권에서 전방위적으로 두터운 관계를 형성하고 있다. 박근혜와의 결합 여부에 따라 여권에 대지진을 일으킬 수도 있는 인물로 계속 예의주시할 필요가 있다.

우리에게 적합한지 여부는 좀 더 지켜보고 판단하고자 한다.

19

태프트

    어민은 뉴욕경찰국으로 향했다. 사건이 이쯤 오고 보니 경찰은 할 수 있는 것이 없었다. 함정에 빠져 허우적대는 잭슨이나 그만 사건에서 손을 떼도록 구해주는 것이 도의일 것이었다. 꽉 막힌 도로를 거북이처럼 기어가는 택시 안에서 어민은 여태까지의 사건을 다시 한 번 정리했다.

    '……사건은 G20에서 시작되었다. 미국의 수상한 결정을 추적한 리처드 김은 전쟁이라는 결론에 도달했다. 그는 스컬리에게 그 사실을 알고 있다는 문자를 보냈고…… 왜? 왜 문자를 보냈을까? 어린아이도 알 만한 위험한 내용을 왜 굳이 적에게?'

    갑자기 어민은 무릎을 탁 쳤다.

'만났구나. 리처드 김은 스컬리를 통해 태프트를 만났다.'

어민이 또 다른 실마리에 이르렀을 때쯤 택시는 목적지에 도착했다. 어민은 잠시 떠오르던 생각을 접고 잭슨을 만나기 위해 안으로 들어갔다. 잭슨은 어민을 보자마자 한숨 섞인 푸념들을 다발총처럼 토해냈다.

"최 변호사, 당신 말이 맞는 것 같소. 윌로우라는 놈은 아주 이상한 놈이오. 당신이 얘기 안 해줬으면 정말 5년 이상 스컬리에게 매달릴 뻔했소."

"아무것도 안 나오죠?"

"이제껏 캘 만큼 캤는데 나올 듯 나올 듯하면서도 안 나와요. 스컬리는 수상하게 행동하고 윌로우는 죽어라 스컬리를 범인으로 내모는 연환방어라는 걸 부국장에게 얘기했더니 고개를 끄덕이며 언젠가 들은 적이 있다고 했소. 40년 경력이 거저 생긴 건 아닌가 봐. 우리는 회의 결과 스컬리에게 혐의 없음 통보를 하기로 했소."

"잘 생각했어요."

순간 택시에서 했던 생각이 떠올랐는지 어민의 눈이 반짝 빛났다.

"잭슨, 스컬리에게 문자를 넣을 거면 혐의 없음이라고 하고 그 대신 워싱턴의 태프트에게 문제가 있음이 발견되었다고 보내요."

"워싱턴의 태프트? 그가 누구요?"

"리처드 김의 뒤를 추적하다 나온 이름인데 기왕 문자를 보내는 김에 간을 한번 보는 거예요."

"워싱턴이라 그러니 어째 으스스한걸."

잭슨은 농을 던지며 스컬리에게 어민이 말한 대로 문자를 넣었다.

"반응이 오면 내게 알려줘요."

"오케이."

잭슨의 목소리는 경쾌했다. 처음에는 그리 탐탁지 않았던 어민이 요소요소마다 앞을 내다보는 충고로 자신의 일을 많이 덜어주는 데다 방향착오까지 곧잘 수정해 주는 고마운 인물로 다가온 때문이었다.

하지만 그날 밤 걸려온 잭슨의 목소리는 힘이 빠져 있었다.

"최 변호사, 갑자기 수사팀이 해체되었소."

"무슨 말이에요, 왜요?"

"본래 세계은행 총재의 부탁이 있어 특별히 수사팀을 꾸리게 되었는데, 총재가 오늘 저녁 동의를 했다는 거요. 그만큼 했으면 이제 됐다고. 워낙 나오는 게 없어 그렇기도 하겠지만 나로서는 섭섭한 일이오."

"유감이군요."

"그런데 부국장이 묻던데?"

"무얼요?"

"워싱턴의 태프트라는 이름은 어떻게 알았냐고."

"부국장에게 말을 했어요? 스컬리에게 문자를 보냈다고?"

"아니, 나는 안 했소. 그래서 난 혹시 당신이 했나 했지."

"난 부국장과 말도 제대로 안 나눠봤는데 내가 왜 해요? 그래서 뭐라 대답했어요? 내가 얘기했다고 했어요?"

"아니, 그냥 내가 수사 중 알아냈는데 지금 단순히 알아보고 있는 중이라 그랬소. 흐흐. 차마 이것까지 당신이 알려줬다고 하면 내 체면이 너무 구겨지는 것 같아서 말이오. 이해해 주시오."

어민은 불현듯 이상한 예감이 들었다.

"잭슨, 오늘 밤 집에 들어가지 말아요."

"무슨 소리요? 집엘 들어가지 말라니?"

"느낌이 안 좋아요."

"흐흐. 당신은 내가 20년 경력의 형사라는 걸 잊어버린 모양이지. 걱정 말고 당신이나 무슨 일 있으면 즉각 내게 연락하시오. 짧은 시간이지만 난 당신이 좋아졌소. 당신은 변호사지만 나대지 않아서 좋아. 퍼스트클래스 타고 다니는 부자라도 돈 자랑 안 해서 좋고. 한국인들이 그렇게 매력 있는 사람들인 줄은 처음 알았소. 내일은 같이 한잔합시다. 수사팀도 해체됐으니 굿바이 토스트라도 해야지. 잘 자요."

어민의 불길한 예감은 적중했다. 다음 날 아침 잭슨의 동료
로부터 걸려온 전화는 충격적이었다.

"잭슨이 죽었소."

"네? 그게 무슨 소리요?"

"어젯밤 집 앞에 차를 대고 내리다 총을 맞았소."

"헉!"

어민은 전화기를 더 들고 있을 수가 없었다. 전화를 끊고 급
하게 택시를 잡아 뉴욕경찰국으로 달려가던 어민은 다음 순간
차를 멈추었다. 이것은 전혀 현명하지 못한 생각이었다. 틀림없
이 부국장은 잡아뗄 것이었고 자신 역시 보이지 않는 자들의
표적이 될 뿐이었다.

"태프트!"

이제 태프트라는 이름은 완연히 정체를 드러내고 자신이 이
모든 음모와 살인의 배후에 있음을 스스로 증명하고 있었다.
어민은 이를 악문 채 태프트라는 이름을 몇 번이고 신음처럼
되뇌었다.

20

싸드

어민은 보스턴으로 수전을 찾아갔다.

"여긴 면회객이 들어오는 데가 아녜요, 저쪽으로 가요."

"조사하러 온 수사관이에요."

보스턴 구치소의 간수는 수사보조원 신분증을 단 어민이 먹을 걸 한 아름 든 채 들어오자 낯선 표정을 지었다.

"뭐가 이렇게 많은 거요? 조사한다면서."

"제대로 진술하지 않으면 이것저것 먹여가며 달래려고."

간수는 끌끌 혀를 차다 어민의 뒤통수에 대고 쏘아붙였다.

"수전, 그 여자 거의 안 먹어요."

예상했던 대로 수전은 더욱 생기를 잃고 창백한 모습으로 앉아 있었다.

"이거 좀 들어요."

수전은 어민이 무슨 외판원처럼 먹을 걸 종류별로 잔뜩 사온 걸 보고는 엷은 웃음을 머금은 채 말했다.

"이거면 100명도 먹겠어요."

"수전, 반드시 내가 수전의 억울한 누명을 벗겨주겠어요."

수전은 말없이 고개를 가로젓다 종내는 웃었다. 참으로 오랜만에 느껴보는 사람의 향기일 것이었다. 그러나 다음 순간 수전은 바로 일어났고 어민은 밖으로 나와야만 했다.

'왜 갑자기 나가버린 것일까?'

수전이 보인 태도는 앞뒤가 맞지 않았다. 처음 자신을 보고 웃었다면 뭔가 얘기를 해야 할 것이었으나 그녀는 이내 일어남으로써 할 말이 없다는 것을 나타냈다. 그러려면 처음부터 자신을 만나지 않든지 최소한 웃지는 말았어야 했다. 수전의 상반된 태도는 분명 자신에게 뭔가를 알리는 것이었고, 그것은 아마도 도청당하고 있다는 암시일 것이었다.

어민은 가슴에 달았던 신분증을 떼어내며 쓴웃음을 지었다. 저들이 수사관 대우를 해준 게 오히려 함정이었다는 생각이 든 것이다. 어민은 뉴욕으로 돌아오면서 수전이라는 카드는 접을 수밖에 없다고 생각했다. 리처드 김이나 잭슨 형사가 태프트라는 이름을 알았기 때문에 죽은 것이라면 수전도 이미 한 발은 저승에 딛고 있는 것이었다.

어민은 자신도 자신이지만 수전을 살리기 위해서는 태프트라는 이름으로는 어떤 이야기도 나눠선 안 된다는 걸 다시 한번 느끼며 뉴욕으로 돌아오고 말았다. 태프트라는 이름은 결코 쉽게 찾으려 해서는 안 될 이름이었다.

어민은 다시 퍼블릭라이브러리로 향했다. 사건의 한중심을 따라가는 것이 불가능하다면 멀리멀리 돌아서 오는 것 또한 하나의 방법일 거라고 생각한 것이다. 중국과의 전쟁을 상정하자면 그 가장 기초적인 움직임은 역시 MD였다. 그리고 수전은 그 MD의 진정한 완성은 싸드를 한국에 배치해야만 가능하다고 했었다. 그렇다면 미국의 전쟁이란 한국에 싸드가 배치되는가의 여부로부터 시작되는 것이라는 생각이 들었다.
어민은 한국의 국방 관련 기사를 검색하기 시작했다. 곧이어 어민의 눈이 모니터에 뜬 기사를 빠르게 읽어 내려갔다.

커티스 스캐퍼로티 한미연합사령관은 3일 고(高)고도 미사일방어체계인 '싸드'의 한국 배치 문제와 관련 "언론에선 현재 사전조사 연구가 이뤄진다는 식으로 묘사했지만 그 정도라기보다는 한국에 싸드를 전개하기 위한 초기 검토가 이뤄지는 수준"이라고 밝혔다.
'싸드'는 고고도 미사일방어체계의 핵심 수단으로, 요격 고도가 40~150킬로미터에 이른다. 우리 정부는 싸드를 도입하지 않고 요격 고도 40킬로미터 이하의 한국형 미사일방어체계(KAMD)를 구축할 것이라고 밝혀왔다.

스캐퍼로티 사령관은 "북한의 위협이 계속 진화하는 만큼 대한민국 방어를 좀 더 성공적으로 해내기 위한 방법을 생각해야 한다"며 "싸드 체계는 상당히 폭넓은 역량을 갖춘 체계로, 대단히 넓은 센서 탐지 범위와 위협에 대한 조기 인식 능력을 갖춰, 방어체계의 상호운용성 향상에도 큰 기여를 할 것"이라고 평가했다.

그는 "앞으로 싸드 체계를 한국에 전개한다고 하더라도 그것은 한미 양자 간의 협의와 결심에 따라 이루어질 것"이라고 말했다. 또한 그는 싸드의 한국 전개가 중국과의 긴장 상황을 조성하지 않겠느냐는 질문에는 "싸드는 굉장히 방어적인 체계이고 단순히 한국 방어에 중점을 두고 배치될 것"이라고 밝혔다.

"이런!"

기사를 읽은 어민의 입에서는 자신도 모르게 신음이 흘렀다. 한미연합사령관은 한국 정부에 싸드 배치를 노골적으로 주문하고 있었던 것이다. 이어 그의 눈에는 한미연합사령관과는 정반대의 주장이 실린 기사와 이 기사에 대한 미국의 반박

성명이 실린 기사가 잇따라 들어왔다.

러시아 정부가 미국의 고고도 미사일방어체계인 '싸드'의 한반도 배치 가능성에 우려를 나타냈다.
러시아 외무부는 웹사이트에 올린 성명에서 김관진 전 국방 장관이 최근 싸드 배치와 관련해 한 발언을 심각하게 받아들이고 있으며, 한국의 안보 차원에서 신중하게 따져봐야 할 것이라고 밝혔다.

미국 정부는 한반도 배치를 검토 중인 '싸드' 미사일이 러시아를 겨냥한 것이 아니라는 입장을 표명했다.
마리 하프 국무부 부대변인은 이날 워싱턴DC 외신기자클럽 기자회견에서 러시아 외무부가 '싸드' 미사일의 한반도 배치 가능성에 우려를 표명하는 논평을 내놓은 데 대해 이같이 답변했다. 하프 부대변인은 "러시아 내에서 미국의 미사일 방어체계에 대해 강경한 의견이 나오는 것을 이해하지만 이 것은 러시아를 겨냥한 것이 아니다"라고 말했다.

어민은 이미 싸드 배치가 한국의 발등에 떨어진 불이 되어 있는 걸 보고는 놀라지 않을 수 없었다. 언제 싸드가 이렇게 조용히 한국의 턱밑에 디밀어졌는지 알 수 없는 일이었다. 어민은 도저히 그냥 앉아 있을 수가 없었다. 기사 내용이란 고작 한미연합사령관의 물타기식 인터뷰나, 미국과 러시아의 외교적 마찰 정도에 집중하고 있었다. 싸드가, 그리고 싸드가 이끌어 올 미래의 결과가 한국인들에게는 지극히 축소 인식되고 있다는 사실에 다름 아니었다.

어민은 싸드가 한국에 배치되는 그 순간부터 중국의 미사일들은 힘을 쓸 수 없다던 수전의 말을 떠올렸다. 그렇다면 싸드의 배치란 곧 중국과 철천지원수가 되는 길이었고, 전쟁이 터진다면 중국의 제일 공격 목표는 한국의 싸드일 것이었다. 이는 전쟁의 주무대가 바로 한국이 된다는 사실에 다름 아니었다.

어민은 싸드를 둘러싼 정보를 더 알아야 한다는 생각이 들어 라운트리에게 전화를 걸었다.

"전쟁이랄까 군사에 권위 있는 교수나 전문가를 한 사람 소개시켜 주십시오."

"전화번호를 보내주겠소. 아니, 아예 같이 가지."

〈뉴욕타임스〉의 군사평론 전문위원이기도 한 중국 전문가 앤더슨 교수는 라운트리를 보자 반갑게 손을 내밀었다.

"도대체 무슨 바람이 불어 뉴욕 최고, 아니 세계 최고의 변호사가 내 사무실엘 다 오셨나? 분당 얼마씩 받으신다는 분이더라?"

"앤더슨, 여기 있는 최 변호사는 미국이 전쟁을 벌여야만 산다고 하네."

앤더슨은 순간적으로 눈이 휘둥그레져 어민을 바라보다 이내 시니컬한 웃음을 날렸다.

"그래? 또 노벨상 받을 분 나오셨군. 나는 앤더슨이오."

앤더슨은 어민에게 손을 내밀었다.

"그게 무슨 소리야? 노벨상을 받는다니?"

"이미 폴 크루그먼이 말하지 않았나? 그는 노벨 경제학상을 받은 사람이지."

"그야 알지. 오바마 행정부의 경제정책에 결정적 영향을 미치고 있기도 하고."

"그가 뭐라고 얘기했는지 아나?"

"……."

"미국은 전쟁을 필요로 하는 나라라고 했지. 전쟁이 없으면 가상의 전쟁이라도 만들어야만 한다고 했어. 지금 이 젊은 양반도 결국 그 얘기 아냐?"

"비슷한데, 이 사람 최 변호사 얘기는 이미 미국이 전쟁 준비를 하고 있다는 거지. 그걸 알고 있던 사람이 죽임을 당하기도 했고."

"어디를 상대로, 중국?"

"그봐, 자네도 금방 중국이라 그러지 않나. 법률적으로 얘기

THAAD

하자면 자네도 이미 고의를 가지고 있는 거야. 전쟁이라는 범죄의."

"크크, 그런가. 그런데 당신이 가지고 있는 정보는 뭐요? 미국이 어떻게 전쟁을 만들고 어떻게 진행하고 어디서 끝낸다는 얘기요?"

"나는 내 의뢰인이 달러의 미래를 연구하다 중국을 상대로 전쟁을 하는 것만이 달러가 사는 길이라는 결론에 도달했다는 것만 알아요. 그래서 하게 된다면 미국은 중국을 상대로 어떤 전쟁을 할지 여쭤보려고 찾아온 거예요."

"호, 달러라. 아주 깊은 곳에서부터 더듬어온 길이군. 우리는 그쪽으로 생각해 본 적은 없지만 지금 동북아 정세가 차츰 돌이킬 수 없는 외길로 몰려가고 있다는 것은 감각적으로 느끼고 있소."

"자네는 언론을 늘 상대해 그런지 좀 뜨뜻미지근하군. 전쟁이 난다는 거야, 안 난다는 거야?"

"미국의 의지에 달린 거지. 만약 중국과 전쟁을 하기로 마음 먹는다면 미국이 전쟁을 만드는 데는 두 가지 방법이 있어."

"두 가지라."

"자네도 짐작하고 있겠지만, 하나는 센카쿠에 중국군을 끌어들이는 거야."

"함정을 판다는 거군."

"미국의 모든 외교정책에는 함정이 있네. 여하튼 센카쿠에 중국군이 들어오면 바로 미일상호방위조약에 의거해 미국이 즉시 참전하는 거지."

어민과 라운트리는 고개를 끄덕였다.

"그러나 이 그림에는 두 가지 문제가 있네. 하나는 중국이 끌려오지 않을 가능성이 커. 즉, 무슨 일이 있어도 일본과 군사 충돌을 하지 않는 거지. 중국 정부는 지금 일본과 센카쿠에서 무력으로 충돌하지 않으려고 온갖 발버둥을 다 치고 있네. 겉으로는 일본의 만행 기록을 거의 매일 내놓지만 속으로는 영화부터 출판까지 군중의 적개심을 부르는 건 죄다 금지야."

"일본에 대한 군중의 분노를 당과 정부가 관리한다는 거군. 적당히 말이야."

"다른 하나는 미국이 센카쿠에 관여하더라도 전쟁까지 끌고 가기가 어렵네. 그것은 어디까지나 섬을 두고 다투는 거니까 말이야. 기껏해야 배 몇 척 가라앉히고 마는 거지."

"다른 한 가지 방법은?"

"북한을 도화선으로 만드는 거야. 북한은 건드리면 터지는 폭약인 데다 북한이 공격당하면 중국이 가만히 있을 수 없는 사정이 있어. 센카쿠는 참을 수 있어도 북한이 공격당하는 건 못 참는 거지."

어민이 예민하게 반응하며 물었다.

"그 사정이란 게 뭐죠?"

"그건 천안문이오."

"네? 천안문?"

"중국은 기본적으로 공산독재 국가요. 그들이 가장 무서워하는 건 민중의 봉기지. 민주화를 요구하는 민중 봉기. 지난 천안문사태 때 공산당 정권은 죽다 살았소. 다행히 2차 봉기가 안 일어났으니 망정이지 잘못되었으면 공산당은 없어졌을지도 모르는 거요."

"……."

"1919년 한국에서 3·1운동이 일어나고 얼마 지나지 않아 중국에서는 5·4운동이 일어났소. 한국에서 중국으로 민중 봉기가 수출된 거지. 지금 중국은 온 사방이 비민주 국가로 둘러싸여 있소. 그러나 북한이 붕괴하면 중국은 세계에서 민주화 봉기를 가장 잘 일으키는 나라와 국경을 마주하게 되는 거요."

라운트리가 고개를 끄덕이며 공감을 표시했다.

"인터넷도 제한하는 나라니 한국과 국경을 맞대는 걸 생리적으로 싫어할 테지, 공산당 지도자들은."

"중국이라는 나라는 기본적으로 특징적 모순이 있소. 변방의 수많은 소수민족과 압도적인 인구수라는 대단히 통제하기 힘든 요소를, 공산독재라는 처음부터 끝까지 국민을 통제해야만 가능한 이념으로 붙들고 있단 말이오. 게다가 겉으로는 자본주의를 표방하는 척까지 하고 있지. 언제 터져도 이상할 것이 없는 폭탄을 들고 있는 셈이오."

"그러면……."

"그 폭탄은 여태껏 중국 정부가 보여온 강력한 이미지로 지탱되고 있소. 그런데 중국 정부가 반세기를 형제처럼 지내온 북한을 포기한다? 그러면 그 폭탄은 즉시 터지는 거요. 소수민족들은 죄다 독립을 부르짖으며 떨어져 나가고 민중들은 자유를 외치며 봉기해요. 공산당 정권은 그 순간 끝이오. 그게 그들이 베이징을 폭격당해도 참을 수 있지만 북한을 공격당하는 건 견디지 못하는 이유요."

어민은 고개를 끄덕였다. 틀림없는 이야기였다.

"미국이 북한을 칠 이유란 충분하다 못해 넘치겠군요."

"물론이오. 지금 북한의 핵이나 미사일은 미국에게는 더할 나위 없이 좋은 소재요. 그래서 예전부터 북한 핵을 한국말로 '짜고 치는 고스톱'이라 불렀지."

"누구와 누가 짜고 친다는 거죠?"

"물론 북한과 미국이오. 북한은 핵 개발로 인민들을 몰아갈 수 있으니 좋고 미국은 언제라도 북한을 칠 수 있는 명분을 쌓으니 좋고."

"미국이 북한 핵을 용인한다는 뜻인가요?"

"아까 폴 크루그먼 교수 얘기 들었잖소? 미국은 전쟁을 필요로 하는 나라라고. 북한 이상 좋은 나라가 어디 있겠소? 겉으로 봐서는 미국에게 북한의 핵 개발은 치킨게임 같지만 사실은 그게 아니오. 거래란 말이오."

앤더슨이 전쟁을 거래로 비유하는 순간 어민의 뇌리에 문득 '1조 달러짜리 평택 딜'이란 말이 떠올랐다.

"앤더슨 교수님, 한국의 평택이란 도시 아세요?"

"평택? 주한미군이 모두 그리로 가게 되어 있지 않소?"

"그 평택이 모종의 거래와 연관이 있을까요?"

"무슨 말이죠?"

"어떤 분이 미국 대통령에게 '1조 달러짜리 평택 딜'이란 제목의 편지를 보냈는데 당시 워싱턴에서 난리가 났었다는군요. 그런데 그분과 워싱턴 사이에 보안유지 약속이 있어 그 의미는 지금에 이르기까지 아무도 모른다고 하는데, 지금 막 교수님 말씀 듣다 보니 뭔가 떠오를 것 같기도 하고요."

"1조 달러?"

"네. 그걸 풀면 30달러 상금이 있어요."

곁에 있는 라운트리는 웃었으나 앤더슨은 미간을 찌푸리며 다시 한 번 물었다.

"1조 달러?"

"네."

"그리고 평택?"

"네."

"둘을 떼어서 생각해 봅시다. 그때의 1조 달러는 의미가 있어요. 그게 뭔지 알아요?"

어민은 고개를 가로저었다.

"1조 달러는 한국에서 전쟁이 났을 때 미국이 써야 하는 돈이오."

과연 앤더슨은 전문가답게 뭔가 대답을 내놓고 있었다.

"그러니까 전쟁비용이군요. 그런데 그게 그렇게나 많이 들어요?"

"그때 의회에서 북한군의 남침 시 얼마의 비용이 드는가에 대해 면밀하게 조사를 한 결과니 정확한 거라고 볼 수 있어요. 거기에 미군 6만가량이 사망하는 걸로 조사됐었소."

"아!"

1조 달러라는 금액이 베일을 벗고 드러나자 어민은 다시금 평택의 의미가 몹시 궁금해졌다.

"평택의 의미는 뭘까요?"

"평택은 주한미군사령부를 포함해 전방에 있는 미군들이 모두 그리 내려간다는 얘기 아니오?"

"네, 이제 곧 계획한 시한입니다."

"음, 그 둘을 어떻게 연결할 수 있을까? 1조 달러의 전쟁비용과 평택 이전과 백악관이라……."

세 사람은 잠시 하던 대화를 중단하고 두 개념을 연관시키려 해보았으나 딱히 떨어지는 게 없었다.

"내가 상금을 50달러로 올릴 테니 자네가 천천히 생각해 보게."

라운트리가 농담으로 끝을 냈지만 어민은 예전보다 더 궁금증이 심해졌다. 앤더슨 또한 거의 잡은 토끼를 놓치기 싫다는 표정이었지만 당장 답이 떠오르지 않는 걸 언제까지나 붙잡고 있을 수는 없었는지 아쉬운 표정으로 다시 본래의 대화로 돌아왔다.

"그런데 한국에 싸드를 배치하는 걸 두고 러시아가 상당히 반대하고 나옵니다. 한미연합사령관은 순수한 대북 방어용이니 러시아가 상관할 일이 아니라고 하는데 과연 그 진실은 뭔가요?"

"나도 러시아의 반응을 주의 깊게 보고 있어요. 그들은 아예 한국 정부에 대고 공갈을 치고 있더군."

"공갈이라니요?"

"러시아 외무부 대변인은 한국 정부에 대고 한국의 안보 차원에서 신중하게 따져봐야 할 것이라고 얘기했소. 그건 결국 싸드를 놓는다면 러시아의 공격 대상에 한국이 들어간다는 얘기 아니겠어요?"

이 말을 듣는 순간 어민의 뇌리에 러시아와의 참혹했던 기억이 되살아났다. 대한항공 007기와 우크라이나에서 말레이 여객기를 격추한 건 모두 러시아의 미사일이었다.

"러시아가 그렇다면 중국의 반응은 더하겠는데요?"

"그야 이를 말이오. 얼마 전 시진핑이 왜 서울로 달려갔는지 알고 있소?"

"한국과 중국의 상호 교류를……."

"그건 표면상의 이유일 뿐이오. 사실 그가 급작스레 한국으로 날아간 건 오로지 싸드 때문이오. 시진핑과 한국의 대통령 사이에 무슨 일이 있었는지 알고 있소?"

"만찬을 하고……."

"그것 역시 껍질일 뿐이오."

앤더슨이 정리한 박근혜와 시진핑의 만남은 겉으로 드러난 화기애애한 분위기와는 전혀 딴판이었다.

대통령은 특유의 그 정중함과 부드러움을 온몸에 가득 담은 채 대문 안에서 시진핑을 기다리고 있었다. 중국 측의 특별 주문으로 오로지 대통령과 주석만 참석하는 예정에 없던 자리였다. 이윽고 나타난 시진핑은 굳은 얼굴로 대통령과 악수를 나누었다.

"이렇게 따로 만날 기회를 주셔서 감사합니다."

언제나 자신만만하게 여유를 보이던 그였지만 이번에는 정중한 인사말과 달리 표정에는 살기와도 같은 것을 떠올리고 있었다. 시진핑은 고개를 한 바퀴 돌렸다. 미국의 도청 기술은 워낙 다양해 쉽사리 안심하기 힘들었다.

"도청은 걱정하지 않으셔도 됩니다."

"대통령님, 한국 정부가 중국을 무시하지 않는다면 국방장관을 잘라주십시오!"

중국 일인자의 얼굴을 항상 싸고돌던 여유로운 미소는 어느새 사라지고 없었다. 그는 다시금 잔뜩 힘이 들어간 목소리로 말을 이었다.

"중국과 한국은 이미 운명공동체입니다. 아시다시피 한국과 미국의 교역량은 이미 하향선을 그린 지 오래고 중국은 한국 경제의 압도적 파트너입니다."

대통령은 주석의 무례한 언행에도 불구하고 웃으며 고개를 끄덕였다.

"한국이 싸드를 받는다면 미국 편에 서서 중국과 전쟁을 하자는 뜻에 다름 아닙니다. 당장은 미국의 뒤가 안전할지 모르겠지만 중국과 적이 되는 게 그리 현명한 선택은 아닐 겁니다. 중국은 반드시 복수를 합니다."

대통령은 어금니를 깨물었다. 곤란한 자리가 될 줄은 예상하고 있었지만 시진핑이 이렇게나 죽기살기로 달려들 줄은 몰랐던 것이다.

"지금 중국은 죽느냐, 사느냐의 기로에 있습니다. 싸드를 한국에 배치하면 태평양을 향해 날아가는 중국의 모든 미사일은 무용지물이 됩니다. 그게 무얼 말하는지 아실 겁니다. 바로 미국의 공격입니다. 싸드를 배치하는 그때부터 미국은 마음먹는 그 순간 중국에 선전포고를 합니다. 물론 핵을 평계로 먼저 저 철없는 아이 같은 북한을 건드리겠지만요. 두말할 것도 없이 한국도 전쟁에 휩쓸려 들어갑니다. 그게 한국이 원하는 바는 아닐 겁니다."

대통령은 가만히 한숨을 내쉬었다.

"싸드를 받으시면 중국은 맨 먼저 한국을 때려야 합니다. 우리는 엑스밴드 레이더를 파괴하기 위해 싸드 기지를 공격할 겁니다."

대통령은 미동도 하지 않았다. 이틀 전 국방장관과 함께 청와대에 들어왔던 한미연합사령관의 어법이나 이 시진핑의 어법은 크게 다를 게 없었다. 이미 안내역이라 자임하는 국방장관을 곁에 둔 채 한미연합사령관은 분노의 함성을 내질렀던 것이었다.

— 도대체 한국이 이럴 수가 있습니까? 한국의 오늘이 있게 해준 게 누군데 한국이 이렇도록 철저하게 미국을 배신할 수 있습니까? 한국 경제에 중국이 그렇게나 중요하다고요? 대통령님, 이것 하나만 명심하세요. 중국은 미국의 적입니다. 미국

이 생명을 바쳐가며 한국을 지키고 있는데 그사이 한국은 중국에서 돈을 벌겠다고요? 싸드 1기 사주는 게 그리 어렵습니까? 만약 그게 그렇게나 어려운 일이라면 미국은 한국에서 손을 떼겠습니다. 70년 우방 미국이 망하느냐 마느냐의 위기에 빠져 있는데, 도와주기는커녕 미국의 적과 손을 잡겠다는 한국을 우리 국민들이 용서할 리 없습니다. 정 싸드를 안 받겠다면 미군은 당장이라도 한국에서 철수하겠습니다.

불과 이틀의 시간차를 두고 자신을 압박해 오는 두 강대국 사이에서 대통령은 진한 외로움을 느꼈다. 시진핑은 자신이 할 말을 마치자 바로 자리에서 일어났다.

"우리는 두 눈 똑바로 뜨고 지켜볼 겁니다. 싸드를 받는 그 순간부터 한국은 중국의 적입니다. 신중하시기 부탁드리겠습니다."

대통령은 억지로 웃음을 머금은 채 시진핑을 배웅했다.

앤더슨이 들려준 시진핑 방문의 실상을 듣고 난 어민은 무슨 일이 있어도 한국에 싸드가 배치되어서는 안 된다는 확신을 다졌다. 아니, 자신만이 아니라 한국인이라면 누구라도 같은 생각일 것이었다.

21

집단자위권

시진핑의 한국 방문 내막을 알게 된 어민은 하루빨리 태프트의 정체를 알아내 그의 싸드 배치 계획을 중단시켜야 한다는 결의를 다졌다. 태프트의 정체를 알아내기 위해서는 지금 진행되는 보이지 않는 전쟁 준비에서 그의 모습을 찾아내야 하는데, 앤더슨을 만나 가능한 미국의 전쟁 각본을 들었음에도 그는 보이지 않았다.

여기서는 정말 할 수 있는 힘을 다해야 한다는 생각이 들자 어민은 미진에게 메일을 보냈다.

홍변!
이제까지 얘기한 태프트의 정체를 알아야만 하는데 드러나 있는 스컬리 대장이나 수전은 죽음으로의 연계선이에요. 그자가 모르게 그자를 알 수 있는 방법이 있을까요? 박근혜 대통령은 우리가 알지도 못하는 새 싸드 때문에 무척 시달리고 있어요. 빨리 알아야만 하는 일이에요.

또 한 가지, 이건 상금 50달러가 걸려 있는 수수께끼예요. 미군은 평택으로 이전하고 한국에서 전쟁이 일어날 경우 미국의 전쟁비용은 1조 달러인데, 리처드 김은 이걸 '1조 달러짜리 평택 딜'이라고 했고 워싱턴에서는 난리가 났었대요. 그게 왜 거래죠? 거기에 무슨 뜻이 있을까요?

미진은 바로 답장을 보내왔다.

변호사님은 요즘 안 나오셔요.

어민은 그 자리에서 답장을 썼다.

걱정이네요. 혹시 술이 과하셔 건강을 해친 건 아닌지 모르겠네요. 나오시길 기다리지만 말고 홍변이 나서서 찾아봐요.

어민의 뇌리에 늘 정신나간 사람처럼 맥이 빠져 있거나 대낮부터 한 병 이상의 소주를 하루도 빠짐없이 마셔대던 김 변호사의 모습이 잠시 떠올랐다. 그러나 어민은 온 신경을 다시 태프트의 정체로 돌리지 않을 수 없었다. 어민은 퍼블릭라이브러리로 걸음을 옮겼다. 세상의 모든 정보를 다 갖춘 도서관이야말로 미국의 행동을 가장 잘 감시할 수 있는 곳이었다.

전문자료실에 자리를 잡은 어민은 먼저 미국의 군사적 움직임을 담은 자료를 꼼꼼하게 찾아냈다. 태프트는 전쟁을 준비하는 인물이니 먼저 군사동향을 체크하고 그 안에서 흔적을 찾아내야 할 것이었다. 다행히 〈제인스디펜스〉를 비롯한 몇 종의 군사연감은 미국의 군사적 변동 상황을 확실히 담아내고 있었다. 특히 어민은 오바마가 천명한 '태평양 함대 독트린'에 눈길을 보냈다.

태평양 함대는 미국 국방예산 감축의 범주에 넣지 않는다.

어민은 이 독트린이 결과적으로 내포하는 의미란 바로 중국과의 전쟁이란 생각을 했지만 이걸로는 태프트의 흔적을 찾을 수 없었다. 미국은 이 독트린 외에도 유럽에 있는 대서양 함대의 규모를 줄이고 오히려 항모 한 척과 그에 따르는 전단을 태평양 함대에 편입시키고 있어 이미 보이지 않게 대중국 전력을 증강시키고 있었다. 그러나 이러한 정보는 어민이 찾는 것은 아니었다.

스컬리 대장의 뒤에 태프트가 있듯 이런 군사적 움직임의 뒤에도 반드시 태프트가 있을 것이고, 그는 군인이기보다는 정치가일 가능성이 컸다. 아무리 경제를 모르는 사람이 정상회담에서 리처드 김의 제안을 거부했다 하더라도 그게 군인일 수는 없는 일이었다.

한참이나 모니터를 따라 좌우로 바삐 돌아가던 어민의 눈동자가 단어 하나를 보자 반짝 빛을 내며 보이지 않는 힘에 의해 사로잡힌 듯 움직임을 멈췄다.

집단자위권

일본이 헌법 해석을 비틀어 자위대를 해외에 내보낼 수 있게 한다는 이 단어가 순식간에 어민의 눈을 사로잡은 것이었다. 최근에 이르러 맹렬한 속도로 추진된 집단자위권이란 실상은 미국과 일본의 군사동맹이 더욱 강화된다는 얘기에 다름 아니었고, 다른 관점에서는 일본이 일본 바깥에서 미국의 군사작전을 돕는다는 말이었다.

"일본인이오?"

어민이 전문자료실에서 종일 집단자위권 관련 자료만 집중해서 파는 걸 흥미롭게 지켜보던 털북숭이의 한 미국인이 반갑게 말을 걸자 어민은 이것저것 대답하기 귀찮아 무심코 고개를 끄덕였다.

"고맙소. 역시 일본은 달라."

어민은 상대의 말이 어딘지 이상한 느낌이 들어 고개를 들었다. 미국인은 엄지를 치켜세우면서 어딘지 동료애 같은 걸 띠고 있는 표정이었다.

"왜 고맙죠? 집단자위권이 왜 미국과 관계 있죠?"

"아, 그거야 중국놈들이 커지니 같이 상대하자는 거 아뇨? 중국 아니면 일본이 왜 그런 걸 하겠소? 진짜 우방이라는 걸 보여주려는 거지. 당신, 학자 아뇨? 종일 그것만 보기에 학자인 줄 알았더니."

미국인은 이해할 수 없다는 표정으로 가버렸지만 어민의 머릿속은 확 밝아졌다. 일본의 집단자위권이 미국과의 관계 속에 탄생한 거라면 일본 총리와 상대해 집단자위권을 끌어낸 인물이 있을 수 있을 것이었고, 만약 그런 자가 존재한다면 그가 바로 태프트일 가능성이 농후하다는 판단이 들었다.

어민은 생각을 조금 더 진전시켰다. 미국의 전쟁에 이바지하는 집단자위권은 일본보다는 미국에서 이끌어낸 결과물일 가능성이 높았다. 아무리 미국에 잘 보이고 싶어 하는 일본이라 하더라도 국민들의 목숨을 내주는 일을 앞장서서 할 리는 만무했다.

'집단자위권이 일본이 미국에게 주는 선물이라면?'

어민의 생각은 날카롭게 이어졌다.

'그렇다면 미국 역시 일본에게 주는 선물이 있었을 게 아닌 가! 그 선물을 주는 자가 바로 태프트다!'

여기에 생각이 미친 어민은 일본의 집단자위권 논란이 언론에서 본격화되던 시점의 미일 관계에 신경을 집중했다. 이 무렵 일본과 미국의 관계에 대해 중요한 발언, 특히 일본에 대해 보상적이거나 보장적 발언을 하는 사람을 찾아야 했다.

일단 이런 시각을 정하는 순간 마치 굳게 잠긴 자물쇠를 여는 열쇠를 찾아낸 듯 해답은 의외로 가까운 곳에서 찾아졌다. 바로 센카쿠 문제에 대한 오키나와 주둔 해병대 사령관의 발언으로, 여러 언론에서 보도하고 있었다.

중국이 센카쿠를 침공한다면 미 해병대는 일본군과 협력하여 중국군을 충분히 격퇴할 수 있다. 우리는 섬에 상륙하지 않더라도 공중 폭격만으로도 중국군을 몰아내고 섬을 탈환할 수 있다.

어민은 고개를 갸웃거렸다. 분명히 일본에 대한 보상적 발언이었지만 이 발언의 주인공인 오키나와 주둔 해병대 사령관을 태프트로 보면 2010년의 G20에서 리처드 김의 제안을 거부한 사실과 부합하지 않는다는 문제점이 있었다.

혹시나 해서 그의 약력을 열심히 찾아본 어민은 결국 고개를 가로젓고 말았다. 그 당시 그는 해병대 대령에 불과했던 것이다. 하지만 이내 어민은 만족스러운 기사를 다시 발견해 낼 수 있었다. 발언자는 바로 미국 국방장관이었다.

센카쿠는 일본의 행정적 지배 아래 있으며 미일안보조약 제5조의 효력이 발생하는 대상이다.

중국과 일본의 영토분쟁에 있어 이보다 더 확실하게 일본의 손을 들어줄 수 있는 발언은 있을 수 없었다. 센카쿠는 일본의 소유이며 미일상호방위조약이 적용되는 대상, 즉 중국이 센카쿠에 대해 군사행동을 일으킨다면 미국은 바로 나서 중국과 전쟁을 벌이겠다는 의지를 확실하게 천명하고 있는 확고부동한 선언이었다.

활활 타는 어민의 눈이 미국 국방장관과 관련된 모든 기사를 빠뜨리지 않고 읽어 내려갔다. 그는 일본을 방문한 자리에서 이 발언을 함으로써 일본에서 대대적 환영을 받았고, 중국을 방문했을 때 베이징에서 중국의 관리들이 운집한 속에서도 당당히 이 발언을 확인한 것이었다.

어민은 일본 총리와 미국 국방장관이 만면에 웃음이 만개한 채 굳은 악수를 나누는 사진을 찬찬히 뜯어보다 어딘지 이상한 기분이 드는 걸 느꼈다. 아련한 과거의 기억인 듯 어떤 이름 하나가 저 멀리서 천천히 다가오다 한순간 어민의 머릿속으로 쑥 들어오는 것이었다.

"아!"

돌연 어민의 입에서 탄성이 새어나왔다.

"가쓰라-태프트!"

과거의 가쓰라 총리와 현재의 일본 총리가 겹쳐지는 곁에 과거의 태프트 육군장관과 지금의 미국 국방장관이 겹쳐지고 있었다.

과거 가쓰라와 태프트의 표정은 어땠는지 모르지만, 굳게 손을 맞잡고 일본은 집단자위권 해석을 통해 미국이 중국을 상대하는 데 있어 전폭적으로 협력하겠다는 의지를 보이고 미국은 이에 대해 센카쿠를 지켜줄 것이라는 선언을 하고 있는 장면은 가히 현대의 가쓰라-태프트 조약이라 할 만했다.

"태프트는 국방장관이었구나!"

어민은 천천히 미국 국방장관의 약력을 읽어 내려갔다. 본래 공화당 상원의원을 여러 차례 했던 그는 2008년 오바마가 민주당 후보로 출마하자 돌연 오바마 지지를 선언하고 나서 오바마 당선 후 공화·민주 할 것 없이 양당을 누비며 큰 영향력을 행사해 온 인물로, 행정부와 정치권에 두루 통할 수밖에 없는 인물이었다.

어민은 어쩌면 이자의 별명이 '태프트'인 것은 스스로가 과거의 태프트에 빗대 지은 것일지 모른다는 생각이 들었다. 과거의 태프트가 미국의 육군장관이었고 가쓰라가 일본의 총리였던 사실에 빗대 그런 별명을 지었을 수 있을 것이었다. 혹은 일본 측에서 지어준 별명일 수도 있었다. 그런 것은 아무래도 좋았다. 현재 일본은 집단자위권 해석을 비틀었고 그는 그 대가로 센카쿠 보호를 외치고 있는 것이었다.

어민은 까마득하기만 할 것 같던 태프트의 정체가 국방장관으로 밝혀지자 '1조 달러짜리 평택 딜'이란 국방장관의 전쟁과 연관되어 있다는 강한 확신에 사로잡혔다.

어민은 평택이 미군기지로 상징되는 곳이니만치 한국과 미군과의 관계를 생각했다. 미군은 한국군과 같이 방어를 분담하고 있으며 북한의 침공을 제어하고 있다. 이들이 전방을 담당하고 있는 이상 한국은 안전했고, 이것이 바탕이 되어 한국은 지난 60여 년간 안심하고 경제적 번영을 구가할 수 있었다.

"이상하지 않은가! 어째서 60년간이나 전방을 지켜오던 미군이 평택으로 간다는 거지?"

분명 미군이 평택으로 모인다는 사실은 매우 이상하고 모순적인 것이었다. 어민은 앤더슨 교수에게 전화를 걸었다.

"교수님, 아직 그 수수께끼에 관심 있으세요?"

"관심이 아니라 머리가 깨질 형편이오. 왜 그러시오?"

"수수께끼를 푼 것 같아서요."

"무슨 소리? 그런 일이 전공인 내가 지금까지 생각해도 풀지 못하고 있는 걸 변호사인 미스터 최가 풀었단 말이오?"

"네."

"거기 어디요? 내가 가겠소. 그러나 만약 터무니없는 말을 하면 나는 무척 화가 날 것 같소."

"아마 아닐 겁니다. 여기는 퍼블릭라이브러리예요. 휴게실에서 만나실까요?"

과연 앤더슨은 번개처럼 달려왔다. 동북아의 군사문제 전공인 그로서는 이 수수께끼를 도저히 그냥 넘기지 못하고 있던 모양이었다. 그는 어민을 보자 커피 두 잔을 사와서는 테이블에 놓았다.

"마셔요. 하지만 말이 안 되면 커피값을 두 배로 내시오."

어민은 커피를 마시며 자신이 내린 결론을 찬찬히 되새김질 해 보았다.

"먼저 얘기하신 대로 평택은 한국에 있는, 미군이 구축하는 새로운 기지입니다."

"그렇소."

"미군은 용산의 사령부와 동두천의 2사단, 즉 전방에서 근무하는 군인들까지 모두 평택으로 옮기려 합니다. 한 마디로

집단자위권

모든 주한미군을 평택으로 모으는 거죠."

"……."

"이것은 악마의 결정입니다."

앤더슨은 갑자기 과격해진 어민의 언사에 적이 놀라는 눈치였다.

"무슨 소리요?"

"이건 한반도에 재앙을 몰고 오는 행위이며 분명한 음모입니다."

"음모? 누구의 음모라는 거요?"

"물론 미국 정부의 음모죠. 이건 당장 백지화해야 합니다."

"주한미군의 평택 이전이 미국 정부의 음모라?"

어민은 여전히 과격한 목소리로 말을 이었다. 좀체 흥분하지 않는 그로서는 이례적인 일이었다.

"한국에 주둔하는 미군이란 북한이 남침을 했을 때 맞아 싸우는 데 그 의의가 있지 않나요?"

"물론이오."

"그러면 미군은 어디서 가장 잘 싸울 수 있는 거죠?"

"어디서?"

"군사학 교수시죠? 제 생각으로는 군사가 가장 잘 싸우는 길은 동서고금을 막론하고 주둔지에 철통 같은 진지를 구축하고 각종 시설을 배치하여 지리적 이점을 최고로 활용하는 것입니다. 그렇지 않나요?"

"당연하오."

"그런데 미군은 그런 이점을 다 포기하고 한강 이남으로 내려가요. 전장은 전방인데 미군은 후방으로 내려간다는 말입니다. 그럼 북한이 남침하면 평택에 있던 미군이 다시 전방으로 올라가나요?"

"……."

"그건 군사학적으로 말이 안 되는 모순이에요. 평택에 내려와 있는 미군이 북한군이 남침하는 시점에 허겁지겁 다시 올라가 지형상의 이점을 하나도 갖지 못한 채 싸운다는 건 군사학과는 전연 맞지가 않아요."

"……."

앤더슨은 침묵한 채 어민의 말에 귀를 기울이고만 있었다.

"저는 왜 이런 모순이 생기는지 생각해 보았어요. 왜 주한미군은 잔뜩 내려와 있다 북한이 침공하면 그때 올라가 싸우려하는지를."

"왜 그렇다는 거요?"

"결론은, 미군은 올라가 싸우지 않는다는 거였어요."

"무슨 소리요? 싸우러 가 있는 군대가 싸우지 않는다니?"

"여기에 1조 달러의 진실이 있어요."

"……?"

"1조 달러가 한국에서 전쟁이 났을 때 치러야 하는 미국의 전쟁비용이라면 '딜'이란 전쟁을 어떻게 치르느냐에 따라 비용의 계산법이 달라진다는 뜻이에요."

"좀 구체적으로 얘기해 보시오."

"평택에 주둔하는 미군은 북한의 침략이 시작되면 올라가 싸우는 대신 모두 배를 타고 한반도를 빠져나가요. 평택은 항구가 있는 곳이죠."

"전쟁이 나면 빠져나간다? 그럼 주한미군은 왜 있는 거요?"

"미군이 싸우지 않는 건 아니에요. 다만 한반도에서의 전쟁 방식을 바꾼 거죠."

"전쟁 방식을 어떻게 바꿨다는 거요?"

"핵전쟁이요."

"핵전쟁?"

"네."

두 사람 사이에는 잠시 정적이 흘렀다. 어민의 눈은 이글이글 불타고 있었다. 금수강산의 조국이 핵전쟁에 휩싸인다는 상상을 하고 있는 그의 심정은 참담할 수밖에 없었다.

"핵전쟁이 아니고는 전방의 미군이 평택으로 내려가는 이유가 설명되지 않아요."

"으음."

"미군은 피를 흘리고 돈을 쓰는 대신 한반도에서 빠져나가고 핵무기로 북한을 초토화시킵니다. 재래식 전쟁비용 1조 달러를 아끼는 거죠."

"으음!"

앤더슨은 연신 신음을 흘렸다.

"그런데 저는 제가 아는 분이 왜 여기에 '거래'라는 말을 붙였는지 궁금했어요. 그냥 전략이면 전략이고 전술이면 전술이지 왜 '거래'라고 했는지 말이에요. 거래란 상대방이 있고 조건이 있는 거잖아요."

"……."

앤더슨은 어민의 얘기에 단 한 마디도 끼어들 수가 없었다.

"누구와 어떤 거래를 하려는지가 수수께끼의 핵심인데, 그게 잘 떠오르지 않아요. 그러니 그 이유는 제가 현상금을 걸죠."

앤더슨은 한참이나 어민의 얼굴을 진지하게 바라보다 마침내 고개를 끄덕였다.

"나도 뭔가 머리에서 뱅뱅거리며 떠오를 듯한데 딱 짚이지는 않소. 아마 우리 둘이 생각하는 게 같을 것 같긴 하지만 지금 얘기하지는 맙시다."

"네, 다음에."

앤더슨은 몹시 진지한 표정으로 손을 내밀었다.

22

물증

어민은 태프트의 정체를 밝히고도 의외로 할 수 있는 일이 하나도 없다는 사실에 놀랐다. 너무도 엄청난 사실이라 어디 가서 입을 벌릴 수도 없었지만 잘못 입을 벌리면 그 결과가 어떻게 될지는 잭슨 형사와 리처드 김이 너무도 선명하게 보여주고 있었다.

어민은 갑자기 사위가 꽉 죄어오는 듯한 갑갑함을 느꼈다. 오랜 시간 모자라는 능력으로 전력을 다해 달려왔고 그 결과 상상도 못할 성취를 이루었음에도 불구하고 아무것도 할 게 없다는 사실은 오히려 절망의 깊이를 더하고 있었다.

'물증이 있어야만 한다!'

가장 안전한 건 물증을 확보해 일거에 온 세상에 공개하는 것이었다. 모든 언론기관에 물증을 보내거나 아니면 유튜브 등을 통해 인터넷에 공개해도 되는 일이었다. 이렇게 생각하자 리처드 김의 죽음이 다른 각도에서 다가오기 시작했다.

그도 역시 자신과 마찬가지로 물증이 필요하다는 결론에 이르렀을 테고, 그 물증을 확보하려다 죽임을 당했을 거라는 생각이 들었다.

어떤 방법이 있을지 고민하던 어민은 종내 물증을 확보한다는 건 불가능하다는 결론에 이르렀다. 잭슨의 경우처럼 섣불리 이름만 떠올려도 죽임을 당하는 판에 물증을 찾으러 다니는 건 죽여달라고 광고하는 것과도 같은 일이었다.

어민은 호텔방에 혼자 머무르며 이 문제에 대해 끝없는 번민을 거듭했다. 문제는 방법이 전혀 없다는 것이었다. 별별 방법을 다 떠올려봐도 위험하지 않은 것이 없었고 위험, 즉 죽음을 무릅쓴다 하더라도 물증을 찾아낼 자신이 없었다.

고민을 거듭할수록 어민은 미국 국방장관을 중심으로 움직이는 거대한 군부와 군수산업을 상대로 맞선다는 건 무모하다 못해 자살행위와도 같다는 사실에 매몰되었고, 실수로라도 태프트라는 이름이 입 밖으로 새어나가면 바로 죽음인 상황에서 물증까지 찾아야 한다는 스트레스에 우울증까지 생길 지경이었다. 무엇보다 누구로부터도 도움을 받을 수 없다는 생각이 어민을 회의와 무력감에 빠뜨리고 있었다.

어민은 호텔방 문을 걸어잠근 채 두문불출하며 며칠간 곰곰 생각하다 결국 짐을 싸야만 한다는 결론에 이르렀다.

　뉴욕에서의 마지막 밤을 그리니치빌리지의 한 고즈넉한 재즈바에서 취하도록 마시며 보낸 어민은 잔뜩 취기가 올랐지만 호텔까지 걸었다. 한 걸음, 한 걸음씩 떼어놓으며 처음 뉴욕에 와서부터 지금까지 지내온 시간들을 하나씩 반추했다. 다행히 좋은 사람들을 만났고 그중에서도 라운트리 변호사는 평소 생각하지 못했던 두뇌의 영역이 있다는 걸 보여준 사람이었다.
　"크크!"
　어민은 갑자기 웃음이 났다. 그간 자신도 알지 못했던 스스로의 엉뚱한 저돌성에 한번 터진 웃음을 멈출 수 없었다. 어서 한국으로 돌아가 리처드 김의 모친을 보살펴드리고 새로운 일감을 찾아야겠다는 생각이 들자 어민의 마음이 갑자기 밝아졌다.
　"ㅎㅎㅎ!"
　어민은 다시 한 번 생전 처음 타보는 퍼스트클래스를 타고 미국으로 건너와 세계은행은 물론 뉴욕경찰국까지 휘저어놓았던 자신을 돌아보며 기분 좋게 웃었다.
　"하하."
　마지막 순간, 어민의 기억은 어쩔 수 없이 한국으로 날아갔다. 자신에게 손을 내밀어주었던 알 수 없는 신비한 기인 김 변호사, 미진, 식당 아주머니…… 다들 고마운 사람들이었다. 그리고 이미 성공한 변호사가 된 로스쿨 동기들, 비록 문전박대도 당하고 차별도 당했지만 어쩔 수 없는 동기들이었다.

어민은 입속으로 나직이 고마운 사람들의 이름을 불렀다. 그리고 잠시 후 어민의 입에서는 모든 아는 사람들의 이름이 잇따라 불려졌다. 자신의 기억에 고마운 사람에게뿐만 아니라 미운 사람에게도 인사를 시키곤 하던 아버지가 떠올랐다.

기억은 다시 일로 이어졌다.

"흐흐, 제일 쉬운 일을 바랐는데 어떻게 처음 맡은 일이 세계에서 제일 어려운 일이란 말이냐?"

우우우웅!

어민이 혼자 넋두리를 하며 걷고 있을 때 주머니 안의 휴대폰이 울렸다. 어민은 취중에도 이상한 생각이 들어 창에 뜬 이름을 봤다.

'5천만 원.'

어민은 크게 웃으며 전화를 받았다.

"어민아, 너 어디냐?"

"뉴욕."

"거기서 뭐해? 취직이 안 돼 나갔구나?"

"아니, 그건……."

"야, 우리 몇몇이 모여 사무실 같이 하기로 했는데 니 생각 나서 연락했다. 너 같이 일 안 할래?"

"공동 사무실? 몇 명이? 누구누구?"

"와보면 다 알아. 근데 애들이 너 취직도 안 되는데 사무장 으로 들어올 맘 없는지 물어보래."

"응, 사무장으로?"

"그래, 어차피 니가 변호사로는 실력이 안 되잖아."

"사무장이라……."

"그래, 노느니 그게 나을 거야. 야, 체면 차릴 거 뭐 있냐? 너 는 최고의 사무장이 될 거야. 변호사가 사무장으로 있으면 손 님들도 얼마나 든든하겠어. 어차피 사무장 써야 하는데 너처 럼 착한 변호사가 사무장 하면 인기 짱일 거야. 안 그래?"

"하하하하, 하하하하!"

"왜 그래? 자존심 상했냐?"

"아니, 오히려 고마워. 변호사로 멸시한 건 잊어버릴래. 사무 장으로 인정한 것만 기억하면 되지."

"그럼 하는 걸로 결정한 거야?"

"내가 내일 들어가니까 만나서 얘기하자."

전화를 끊는 어민의 입속에서 혼잣말이 흘러나왔다.

"그래, 어민아. 사무장이라도 해라. 조금만 비겁하면 얼마나 편한 세상이냐."

세상에서 가장 편한 넋두리가 어민의 입에서 흘러나왔다. 자신도 모르게 유행가 한 곡조가 목젖을 울리고 터져나오려는 순간, 어민은 눈앞에서 무언가를 본 듯한 느낌에 흠칫했다. 분명 바로 앞에서 누군가 섬뜩한 눈길로 자신을 노려보고 있었다. 아는 얼굴 같기도 하고 모르는 얼굴 같기도 해 어민은 취한 음성으로 물었다.

"누구요…… 어, 잭슨!"

잔뜩 노려보고 있는 사람은 잭슨이었다. 순간 어민은 술이 확 깼다. 동시에 얼마 전 밤늦게 걸려온 잭슨의 전화 목소리가 들려왔다.

— 흐흐, 차마 이것까지 당신이 알려줬다고 하면 내 체면이 너무 구겨지는 것 같아서 말이오.

어민은 조용히 눈을 감았다. 잭슨은 어쨌든 자신 대신 죽은 사람이었다. 자신은 잭슨에게 복수를 해주겠다고 맹세를 했지만 이제 언제 그런 일이 있었느냐는 듯 내일 한국으로 돌아가겠다고 술에 취한 채 해롱대고 있지 않은가. 어민은 어느새 술이 완전히 깨 주먹을 불끈 쥐었다.

"잭슨, 할 도리는 다 했어요. 하지만 적이 너무 거대하네요. 그래도 떠나기 전에 수전을 한번 찾아가볼게요. 거기까지가 나의 맥시멈이에요."

23

수전이 남긴 말

다음 날 아침 일찍 어민은 보스턴으로 떠났다. 며칠간 두문불출하며 호텔방에서 물증을 찾기 위해 고민하던 어민은 다시 한 번 수전을 만나는 게 자신이 할 수 있는 유일한 일이라는 결론을 내렸다. 어찌 되었든 수전이 '태프트'라는 이름을 알려 줬고 자신은 기나긴 추적 끝에 그 이름의 실제 주인공을 찾아낸 것이었다.

다행히 수전은 구치소에 그대로 있었고, 이상하게도 그다지 까다롭지 않게 면회가 되었다. 신경이 잔뜩 곤두선 어민은 어쩌면 이들이 자신과 수전의 대화에서 정보를 캐내기 위해 정밀한 도청장치를 마련해 둔 채 쉽게 면회를 시켜주는 건지도 모른다는 생각이 들었다. 사실이 어떻든 자신이 여기에 온 목적이 극히 위험한 것이니만치 최대한 조심해야 할 것이었다.

수전은 이전보다 몹시 초췌한 모습으로 나타났다.

"난 이제 한국으로 돌아가요."

말하는 순간 어민은 눈물이 날 것 같았다. 처음 인천공항에서 리처드 김을 만나던 일부터 미국에 와 그의 연구를 좇던 장면장면들이 파노라마처럼 지나치는 가운데 초췌한 수의 차림의 수전을 대하자 감정이 북받쳐올라 자신도 모르게 눈물이 핑그르르 돌았던 것이다.

"슬퍼 마세요. 저도 견디려 목사관에서 남편에게 슬픔의 편지를 써 저세상으로 태워 보냈어요."

어민은 고개를 끄덕였다. 아무래도 수전의 슬픔은 자신의 것과 비교가 안 될 것이었다. 수전의 다음 말이 이어지지 않았기에 대화는 끊어졌다. 어민은 지난번 수전이 별 얘기를 하지 않고 일어났던 걸 떠올렸다. 아무런 얘기할 것이 없었거나 도청이 되고 있는 상황에서 아무 얘기도 할 수 없었거나 둘 중 하나였을 것이었다. 오늘도 상황은 똑같았고 문제는 어떻게 도청을 피해 수전에게 물증이 있는지를 물어보느냐 하는 건데 그건 사실 지난한 일이었다.

"내가 여기 변호사자격이 있다면 수전을 구하기 위해 뭐라도 죽기살기로 해볼 텐데, 미안해요. 생각을 많이 해봤지만 한국으로 돌아가는 수밖에 없어요."

어민은 결정적 얘기를 꺼낼 기회를 엿보며 별 의미 없는 말을 계속 주워섬겼다.

"……."

"비록 힘이 없고 똑똑하지 못해 도와줄 수는 없어도 한국에 돌아가도 잊지는 못할 거예요."

"……."

수전은 여전히 말이 없었고 어민은 서로의 느낌이 통한 것 같은 지금이 기회라고 생각하고는 남몰래 숨을 들이쉬었다. 자신이 할 말을 내뱉은 후의 수전의 반응을 놓치지 않으려면 지금 이 순간 최대로 신경을 집중해야 했다. 그리고 그 전에 수전을 확실하게 이해시키되 도청하는 자들의 관심을 끌지는 않아야 했다.

어민은 드디어 가슴에 품은 말을 꺼냈다. 깊이 생각해 리처드 김의 살인사건 수사와 연관을 시킨 말이었다.

"그간 남편의 한을 풀어드리려고 뉴욕경찰국과 함께 할 수 있는 건 다 했지만 어떻게 해볼 수가 없어요. 뭔가 결정적 물증이 있어야 할 텐데. 물증 말이에요."

말을 마치며 어민은 극도로 신경을 집중했다. 수전이 어떤 답을 하더라도 지금 이 찰나에 모든 걸 느끼고 모든 걸 판단해야만 하는 것이었다.

"……."

그러나 수전은 여전히 아무 말이 없었다. 어민은 방금 자신이 던진 질문을 생각했다. 수사를 빗댄 교묘한 말이었지만 수전이 그 뜻을 알아차리는 데는 전혀 문제가 없다는 확신이 들자 어민은 다시 한 번 수전의 눈을 뚫어지게 쳐다보며 물었다.

　"한국의 어머님께 전할 말이 있으면 하시죠. 무척 보고 싶어 하실 거예요. 아마 제 생각에는 이리 오셔서 마지막으로 한번 며느님을 보시고 돌아가시겠다 하실 거예요."

　"……."

　"그러면 저는 갑니다."

　"……."

　수전은 끝까지 아무 말이 없었다. 도청이 두려워 침묵을 지키는지 물증이랄 게 없어 그러는지 판단이 서지 않았지만 어민은 그만 일어나는 수밖에 없었다. 그러나 차마 발걸음이 떼어지지 않았다.

　"정말 갑니다."

　어민이 안타까움에 차마 발을 떼지 못하고 미적거려도 수전은 여전히 입을 다문 채 앞만 바라보고 있었다. 결국 어민은 수전을 뒤에 두고 일어날 수밖에 없었다.

　"처음에 한 말을 기억할 거예요."

　이제 떠나기 위해 일어선 어민에게 수전이 인사를 했다.

　"예? 아, 예……."

수전이 남긴 말

어민은 핑 돌아 떨어지려는 눈물을 가까스로 참아냈다. 미국에 와서 그동안 이런저런 일을 겪었으나 오늘만큼 무력감과 슬픔이 진하게 뭉쳐 발걸음을 무겁게 잡아끈 날은 없었다. 비록 애처로운 눈빛을 보이기 싫어 입을 앙다문 채 더 이상 말 없이 앞만 바라보고 있던 수전이지만 그녀의 슬픔은 자신의 몇 배, 아니 몇십 배는 될 거란 생각에 어민은 뉴욕에 돌아오는 내내 마음이 아파왔다.

어민은 이제 정말 마지막으로 짐을 쌌다. 그간 짐을 싸 돌아가야 한다고 생각하던 때와는 완전히 다른 기분으로 어민은 차곡차곡 옷가지들을 넣고 마지막으로 노트북을 챙겼다. 전에는 사건의 배후를 밝히지 못해 돌아가려 했다면 이번에는 배후는 밝혔으나 아무것도 할 수 없다는 무력감이 그때의 절망감보다 더 무겁게 온몸을 휘감아왔다.

체크아웃을 마친 어민은 라운트리 변호사에게 전화를 걸어 인사를 마치고 공항으로 가는 택시를 잡아탔다. 택시가 공항을 향해 속도를 높이기 시작하자 한 사람이 기억 속에서 모습을 일으켜 천천히 다가왔다.

"수전!"

괴로운 기억이었다. 어민은 차창을 스치는 풍경에 시선을 돌려 기억을 잠재우려 했지만 그럴수록 수전의 모습은 잊혀지기는커녕 기억 속에서 더욱 생생하게 살아나왔다.

"미안해요."

수전의 창백한 모습은 누군가의 그림에 나오는 아름다운 여신을 떠올리게 했다. 고고한 한 마리 학과도 같은 여인을 이런 지옥 같은 곳에 그냥 내버려두고 간다는 생각에 어민은 가슴이 저려왔다. 수전을 구해야만 인천공항에서 자신에게 생애 최초의 사건을 맡기던 리처드 김이나 요양원의 모친에게 얼굴을 들 수 있을 것 같았지만 자신에게는 방법이 없었다. 그것은 자신 아니라 그 누구도 마찬가지일 것이었다.

한국에 돌아간다는 자신의 말은 그녀를 더욱 아프게 했을 것이었다. 무엇보다도 가슴 아픈 건 지난번 면회 때와는 달리 자신이 나올 때까지 마냥 앉아만 있던 수전의 쓸쓸한 모습이었다. 그건 이제껏 보아왔던 그녀의 꼿꼿한 모습과는 너무도 거리가 멀었다.

처음 경찰국에서 만났을 때의 그녀 모습 역시 그렇게 꼿꼿했었다. 그 꼿꼿함은 무슨 일이 있어도 배후의 거대한 힘에 굴복하지 않겠다는 듯한, 약하지만 강한 여성의 모습이었다고 느끼는 순간 어민은 눈가를 찌푸렸다.

뭔가가 맞지 않았다. 그간 보여온 꼿꼿한 모습과 자신이 나올 때까지 자리를 떠나지 않고 앉아 있던 그녀의 초라한 모습은 서로 상반된 것이었다. 어민은 그전 면회 때는 그녀가 바로 나가버렸던 걸 떠올렸다. 그러나 초라한 모습으로 끝까지 앉아 있던 이번의 모습. 수전이 짧은 시간 동안 이렇게나 달라진 이유가 무엇일까 생각하던 어민은 불현듯 그녀가 처음 보자마자 입 밖으로 낸 말에 주의가 미쳤다.

— 슬퍼 마세요. 저도 견디려 목사관에서 남편에게 슬픔의 편지를 써 저세상으로 태워 보냈어요.

어민의 뇌리에 그때 무심코 넘겼던 '목사관'이란 단어가 의미심장하게 다가왔다.

'왜 하필 목사관이란 단어를 썼을까? 혹시 여기에 무슨 의미가 있는 건 아닌가?'

그러나 아무리 생각해도 문장은 너무나 자연스러워 의심하거나 문장이 의미하는 이외의 다른 걸 떠올리기는 너무 힘들었다.

"혹시 목사관이란 지명이 있나요?"

어민은 난데없이 기사에게 물었다. 목사관이란 게 고유명사로 어떤 특정한 장소를 가리킬 수도 있다는 판단에서였다.

"목사관? 목사관이란 목사가 사는 집이잖아요?"

"네."

"무슨 도시, 무슨 거리요?"

"도시요? 아마 뉴욕……."

"지역 이름과 거리 이름이 있어야지. 뉴욕에 목사관이 수천

개는 될 텐데 그냥 목사관이라면 어떻게 찾겠어요?"

어민은 고개를 끄덕였다. 역시 목사관이라는 단어 하나로 해낼 수 있는 일은 없었다.

택시가 공항에 도착하자 어민은 시간을 보았다. 탑승 수속까지는 아직 시간이 있는 걸 확인한 어민은 문장에 있는 명사끼리 다 맞춰보았지만 구체적으로 지명을 나타내는 조합을 만들 수는 없었다. 카운터를 닫기 직전까지 온갖 공상을 다 동원해 할 수 있는 모든 조합을 맞춰본 어민은 결국 자리에서 일어났다. 자신이 너무 예민한 것일 수도 있었다.

어민은 비록 열쇠를 찾아내지는 못했지만 최선을 다해 열쇠가 없다는 걸 확인한 것도 가치가 있는 일이라고 스스로를 위안했다. 모든 승객들이 썰물처럼 빠져나가 버린 카운터에서 여권과 쿠폰을 내밀고 직원이 컴퓨터에서 관련 정보를 확인하는 동안 어민은 이제껏 떠올렸던 생각들을 최종적으로 확인하며 하나하나 떠나보냈다.

이것은 혹시 그 말 안의 의미를 놓쳤을지 모른다는 염려보다는 출국에 대한 정당성 부여와도 같은 것이었다. 어민은 먼저 자신이 수전의 말에 의미가 있을지도 모른다고 의심했던 이유를 다시 생각해 보았다. 의심할 만한 상당한 이유가 있었던지를 곰곰 생각하던 어민은 고개를 가로저었다. 수전의 그 말은 너무도 자연스러웠고 자신은 수전의 불행을 외면한 채 그냥 떠날 수 없어 아무 의미도 없는 말에 의미를 부여하려 애쓴 것이었다.

자신도 눈물이 핑 돌았던 당시의 슬픈 분위기에서 그녀 또한 슬픔에 북받쳐 흘려낸 말이었고 다시 생각해도 너무나 자연스러운 말이었다.

수전이 자신의 거듭된 질문에 대답하지 않은 건 질문 자체가 실없어 그녀가 대답할 가치도 못 느꼈고, 면회시간이 다 될 때까지 일어나지 않고 있었던 건 자신이 이제 한국으로 돌아간다니 상심해 그랬을 것이었다.

"고객님, 티켓 여기 있습니다."

어민은 직원의 목소리에 스스로를 향한 마지막 물음을 던져버리고 티켓을 받아 게이트로 발걸음을 옮겼다. 가드는 고개를 푹 숙인 채 걸어온 어민의 얼굴을 쏘아보며 거칠게 말했다.

"여권 보여줘요."

그러나 모든 걸 내려놓은 채 편안히 스러져 있던 의식은 마지막 한 걸음을 내디디면 완전히 끝나버리는 바로 그 순간 벌떡 일어나며 어민의 뇌리 한편을 날카롭게 찔러왔다.

'분명히 뭔가 있다!'

어민은 여권을 내밀지 않은 채 옆으로 한 걸음 비켜서 다시 한 번 처음부터 찬찬히 생각해 보았다.

그러고 보니 그녀의 마지막 말도 '처음에 한 말을 기억할 거

예요'였다. 인사말처럼 위장해 보였던 그 말은 자신이 처음에
한 말을 기억하라는 뜻일 수도 있다. 처음에 한 말, 그녀가 자
신에게 처음으로 비밀스럽게 했던 말은 '워싱턴의 태프트'였다.
그리고 이번 면회 때 처음으로 한 말은······.

어민은 다시 한 번 수전의 말을 떠올렸다.

— 슬퍼 마세요, 저도 견디려 목사관에서 남편에게 슬픔의
편지를 써 저세상으로 태워 보냈어요.

분명히 어떤 메시지가 있는 말 같았으나 아무리 생각해도
떠오르는 건 역시 없었다.

"갈 거요, 말 거요?"

어민은 가드의 거친 목소리를 뒤로하고 되돌아섰다. 일단 표
를 물러야 한다 생각하고 카운터로 갔으나 카운터에는 한 사
람의 직원도 없었다. 이미 카운터를 닫고 철수해 버린 것이었
다. 어민은 411을 눌러 항공사 사무실 전화번호를 물으려다 그
만두었다. 지금 항공사와 통화해 환불이니 뭐니 하는 얘기로
머리를 어지럽히기 싫었다.

어민은 텅 빈 카운터 앞의 의자에 앉아 다시 한 번 수전이
남긴 말의 의미에 도전했으나 아무리 노력해도 어떤 의미 있는
메시지도 얻어낼 수 없었다.

밤을 꼬박 새운 채 희끄무레하게 동이 틀 때쯤 일어서는 어민의 얼굴은 지칠 대로 지쳐 있었다. 비틀거리며 건물 밖으로 빠져나온 어민은 방향도 잃고 아무 데로나 걸음을 옮기다 어디엔가 생각이 미쳤는지 휴대폰을 꺼냈다. 호텔 번호 위에서 머무르던 어민의 손가락이 잠시 키패드 위에서 방향을 잃고 오가더니 자신도 모르게 한국의 한 번호를 누르고 있었다.

미진이었다. 하지만 아무리 신호가 가도 미진은 전화를 받지 않았다. 어민은 지친 목소리로 음성 메시지를 남겼다.

"홍변, 어젯밤 한국으로 가는 비행기를 타려다 수전이 남긴 말이 가슴에 남아 마지막 순간 되돌아서고 말았어요. 그녀는 마치 인사말과도 같은 걸 남기면서 분명 내게 메시지를 주었는데, 밤새 아무리 생각해도 그 의미를 알 수 없어요. 나는 지금 지칠 대로 지쳐 호텔로 돌아가요. 홍변, 지금 그냥 돌아가면 평생 후회할지도 모른다는 생각이 들어 그러는데 변호사님께 꼭 한 번 물어봐줘요. 할 수 있는 건 다 해본 후 떠나야 할 것 같아요."

메시지와 함께 수전의 말을 남긴 어민은 지친 발걸음을 옮겨 뿌연 안개 속으로 걸어갔다.

24

절묘한 조합

오후 늦게 잠을 깬 어민은 라운트리 변호사에게로 갔다. 얼마간 기다리자 회의실에서 나온 라운트리 변호사가 어민의 얼굴을 보고는 웃었다.

"돌아간 줄 알았는데 어떻게 다시 나타났소? 나는 회의 도중 3분 쉬기로 했는데 미스터 최의 그 복잡한 표정을 보니 쉬기는 틀린 거 같소. 문제가 뭐요?"

어민이 수전의 말을 전하자 라운트리는 의욕적으로 달려들었다.

"그녀가 보인 태도로 보아서는 분명 의미가 있는 말이오. 하지만 이 문장에서 의미를 찾기는 참으로 어려운 일 같소. 다만 여기 목사관이라는 말이 어떤 비밀을 품고 있는 장소임에는 틀림이 없는 것 같군."

어민은 보람을 느꼈다. 천재 라운트리 변호사가 달려들고 있는 이상 수전의 메시지를 알아내는 것은 이제 시간문제였다.

"그녀가 뉴욕주립대 수학과 교수라고 했으니, 숫자가 하나도 들어가 있지 않지만 여기에는 수학적 개념이 담겨 있을 거요. 즉, 이 목사관의 위치가 이 간단한 말 속에 들어가 있다는 말이지."

과연 라운트리는 자신과는 달리 설득력 있는 분석을 시작했다. 그러나 3분이라던 휴식 시간의 열 배가 지나도록 라운트리는 고개를 갸웃거리기만 할 뿐 한 발짝도 더 앞으로 나가지 못했다.

"두고 가시오. 내가 연락을 하겠소."

라운트리는 급히 회의에 들어갔지만 그의 얼굴에서는 어떤 오기 같은 것이 엿보였다. 아마도 천재로서 얼마만큼 자존심을 상한 데서 오는 것이리라 생각하고, 어민은 오랜만에 편안한 기분으로 자유의 여신상을 거쳐 엠파이어스테이트 빌딩으로 올라가 뉴욕의 야경을 구경하는 등 전형적인 뉴욕 관광을 시작했다.

그러나 어민의 신경은 온통 휴대폰에 쏠려 있었다. 하지만 이상하게도 라운트리로부터는 어떤 연락도 없었다. 밤이 늦어 호텔에 돌아올 때까지도 라운트리는 전화를 하지 않았고 다음

THAAD

날이 되도록 감감무소식이었다.

어민은 몇 번이나 라운트리에게 전화를 하기 위해 휴대폰을 꺼냈다가 다시 집어넣곤 했다. 라운트리가 보인 오기로 보아 그가 쉽게 문제를 포기할 것 같지도 않았고, 만약 포기했다면 기다리고 있는 자신에게 연락을 했을 것이었다. 어민은 하릴없이 또 하루를 라운트리의 연락을 기다리며 소일했다.

우우우웅.

어민이 기다리던 라운트리 변호사의 전화는 자정이 가까워서야 걸려왔다.

"이것은 도저히 풀 수 없는 수수께끼요. 인간이 해볼 수 있는 생각은 다 해보았지만 여기에 무슨 메시지가 있다고는 생각할 수 없소"

"그러나 수전의 태도는 분명 이상한 것이라고 변호사님이 말씀하셨잖아요."

"그래서 나도 지금 이 시간까지 전력을 다해 집중했던 거요. 하지만 아무것도 찾아낼 수 없었소. 나의 생각이 틀렸소"

어민은 큰 희망을 품고 이틀간 기다린 게 허사가 되어 실망이 컸지만 한편으로는 홀가분해졌다. 수전이 메시지를 담았음에도 불구하고 자신이 모른 채 떠났다면 영원히 그녀의 가슴을 아프게 했겠지만, 아무 뜻이 없는 단순한 인사말인 걸로 결론이 났으니 이제는 마음 편히 떠날 수가 있었다.

호텔로 돌아와 샤워를 마치고 침대에 누우려는 순간, 어민의 눈에 깜빡거리는 전화기의 점멸등이 들어왔다. 메시지가 와 있다는 신호였다. 어민이 수화기를 들자 저녁 6시 20분에 녹음된 기계음이 흘러나왔다.

"로비에서 손님이 기다리고 계십니다."

어민은 어리둥절했다. 자신에게 찾아올 손님이란 하나도 없는 탓이었다. 누굴까 생각하던 어민은 잘못 온 메시지려니 하면서 그냥 잠을 청했다. 얼핏 잠이 들었을까 했을 무렵 어민은 전화벨 소리에 신경질적으로 손을 뻗었다. 프런트였다.

"손님이 오랫동안 기다리고 계십니다."

"무슨 소리예요? 손님이라니?"

"오후 6시 무렵부터 지금까지 로비에서 계속 기다리셨는데요."

"805호 최어민에게 전화한 것 맞아요? 6시부터 손님이 기다리고 있다니, 그게 말이 됩니까? 내겐 찾아올 손님이 없는데……."

"예, 맞습니다. 그분이 분명 손님 이름을 대셨고, 지금도 저기 앉아 계세요."

어민은 후다닥 일어나 옷을 걸치고 방을 나섰다. 누군지는 몰라도 여섯 시간이나 기다렸다면 이건 보통 일이 아니었다. 그러나 한편으로는 틀림없는 착오라는 생각도 들었다. 세상에

THAAD

여섯 시간이나 기다리는 사람이 어디 있단 말인가.

엘리베이터가 로비에 도착하자 어민은 급히 뛰어나와 주변을 살폈다. 눈에 익은 한 사람의 모습이 그의 눈에 들어왔다.

구부정한 뒷모습의 저 사람은…….

"김 변호사님!"

어민은 목이 메어 그를 부르며 달려갔다. 세상에 여섯 시간을 기다리셨다니. 어민은 안타까움과 미안함으로 범벅이 된 채 자신을 탓하며 김 변호사의 팔을 잡았다.

"……."

김 변호사는 한국에서와 다름없이 협수룩한 차림에 지친 얼굴이었지만 예전과 달리 약간 힘이 실린 목소리로 말을 꺼냈다.

"부인은 언제 뉴욕을 떠난 거지?"

"네?"

"리처드 김의 부인."

"아, 네. 수전 말씀이군요. 그녀는 리처드 김이 살해당한 다음 날 뉴욕을 떠났습니다."

"어디로?"

"보스턴으로 갔습니다."

"그럼 뉴욕의 목사관에서 편지를 썼을 리는 없다는 얘기군. 사건이 나자마자 그런 걸 쓰는 사람은 없으니까. 부인은 보스턴, 혹은 도중의 어느 목사관에서 편지를 쓴 거야."

"아……."

"자네가 부인이 되어보게."

"수전의 입장에서 생각하란 말씀이시군요?"

"삼엄한 도청이 이루어지고 있는 상황에서 그녀가 가장 먼저 생각한 건 뭐겠나?"

"……."

"자네를 보호하는 거 아니겠나?"

"저를? 그렇겠네요. 제가 붙들리면 모든 게 끝이니까요."

"그러려면 아무리 귀신같은 자라 하더라도 도저히 알아차릴 수 없는 장치를 해야 하지 않겠나. 그들이 그 문장에 메시지가 담겼다는 것을 모르도록 해야 자네가 안전하니까."

"네?"

"어떠한 암호 분석가도 알아차리지 못하게 하려면 그녀는 자네가 한국인이라는 점을 가장 활용하려 했겠지."

"네."

"하지만 알리려는 어떤 장소는 여기 미국에 있지 않겠나?"

"네."

"그러니까 그 문장은 영어와 한국어의 결합인 거야."

"아!"

김 변호사의 한 마디에 어민의 뇌리에 무언가 아련히 다가오는 게 있었다. 각자 다른 세계에 존재하지만 어떤 형태로든 겹쳐지는 이중적 언어의 조합이 있을 수 있었다.

"그렇게 생각하고 그녀의 말에 들어간 각 단어들을 영어로
도 한국어로도 생각해 보게."

그 말을 마친 김 변호사는 자리에서 일어났다.

"어디로 가십니까? 시간도 늦었는데 여기서 주무셔야죠."

"만나게 될 거야."

김 변호사는 로비를 가로질러 밖으로 나가버렸다.

어민은 곧 따라 나갔으나 김 변호사는 이미 어둠 속으로 사
라진 뒤였다. 홀로 남은 어민은 영어 단어와 한글 단어를 어떻
게 조합해 볼 수 있을까 궁리를 시작했다. 몇 단어가 안 되는
문장에서 단어끼리 조합을 만들어보는 것이 좀 억지스러워 보
였다. 하지만 어민은 고개를 가로저었다. 수전이 오직 자신에게
만 전달될 수 있는 절묘한 조합을 만들려 혼신의 힘을 다했다
면, 김 변호사의 말대로 서로 다른 두 언어의 기묘한 조합이 오
히려 가장 좋은 방법일 것이었다.

어민은 방으로 올라와 인터넷으로 수전의 문장 중 '슬픔'과
'슬픔의 편지'와 '목사관'에 집중하며 영어로 소로우(sorrow), 보
스턴(Boston), 목사(minister), 또 한글로 보스턴, 목사관, 슬픔,
슬픔의 편지, 소로우 등의 단어를 검색창에 쳐넣었다. 그러자
화면에 헨리 데이비드 소로우(Henry David Thoreau), 올드 맨스

(Old Manse), 콩코드(Concord) 같은 흥미로운 단어들이 잔뜩 떠올랐다.

한참을 들여다보던 어민은 무릎을 쳤다. 영어 이름 Thoreau 가 슬픔을 의미하는 sorrow와 한글 표기가 같지 않은가. 설마 하며 어민은 노트북 자판 위에서 한 글자 한 글자를 두드려 나갔다. '소로우'라는 단어가 완성되고 '목사관'이라는 단어가 완성되자 두 단어는 생각지도 못한 공간을 조립해 냈고, 이 공간은 인터넷에서 보스턴 근교의 명물로 소개되고 있었다. 데이비드 소로우가 한동안 지냈던 목사관이 '올드 맨스'이며 보스턴 근처 콩코드에 있었다.

보스턴 근교 소로우가 살던 월든숲 부근의 목사관.

25

남겨진 목소리

어민은 날이 밝자마자 공항으로 달려가 보스턴행 비행기에 올랐다.

보스턴 공항에 내린 어민은 렌터카를 빌렸다. 렌터카 직원은 다른 사람의 경우와는 달리 어민이 내민 신분증을 사무실 안에 들어가 컴퓨터에 입력한 후 돌려주었다.

"여기도 컴퓨터가 있는데 왜 내 여권을 안으로 가져간 거죠?"

신경이 곤두서 있던 어민은 직원의 태도가 한없이 수상해 보여 따져 물었다.

"외국인 여권은 안에서 해요."

더욱 의심이 가는 아리송한 답변이었지만 컴퓨터를 확인하자고 따지고 나설 수도 없는 노릇이라 어민은 말없이 자동차에 올라타기는 했지만 마음이 편하지는 않았다.

"잠깐 기다려요."

차를 빼 주차장 밖으로 나가려는 순간 직원이 이름을 부르며 뛰어오자 어민은 급히 브레이크를 밟았다.

"여권 가져가야죠."

직원으로부터 여권을 건네받으며 어민은 쓴웃음을 지었다. 긴장해 여권을 놓고 나온 것도 그렇지만 방금 브레이크 대신 액셀을 밟을까 순간적으로 망설여졌던 게 스스로도 우스웠다.

"긴장을 풀어요."

직원은 웃으며 돌아갔지만 어민에게는 이 말도 의미심장하게 들리기만 했다. 수전이 넘겨준 정보가 무엇인지는 몰라도 그것이 태프트와 연관된 것이라면 이미 한 발은 죽음으로 던져놓고 있는 것이나 다름없었기 때문에 어민은 숨쉬는 것조차 자유롭지 못했다. 어민은 신경질적으로 뒤를 돌아보면서 미행이 있는지를 살폈다.

목사관은 외진 곳에 있었다. 문장상의 '편지'라는 단서는 필경 편지함을 의미하는 것이리라. 하지만 그렇게 중요한 물건을 그렇듯 찾기 쉽게 두었을 것 같지는 않았다. 그렇다면 편지함 밑둥이나 그 주변을 파보아야 할지도 모른다고 생각한 어민은 휴대용 삽을 사서는 어둠이 깔릴 때까지 기다렸다. 사람이 많이 다니는 곳은 아니었지만 지극히 신중해야 한다는 의식이 저절로 생겨나 머릿속 깊은 곳에서 감돌았다.

드디어 땅거미가 지고 사위가 완전히 어두워지자 어민은 삽을 들고 차에서 내렸다. 길을 건너던 어민은 갑자기 커브를 돌아 이쪽을 향해 경광등을 번쩍이며 달려오는 순찰차를 발견하고 소스라칠 듯 놀랐다. 어민은 재빨리 몸을 숨기려 하였으나 이미 때가 늦었다는 판단으로 당당히 목사관을 향했다. 달려온 순찰차는 어민의 뒤에 차를 바싹 갖다 댔고 총을 겨눈 경관이 스피커를 통해 말했다.

"손에 든 걸 버리고 양손을 들어!"

어민이 고분하게 시키는 대로 하자 차에서 내린 경관은 뒤로 손을 내밀게 해 수갑을 채웠다.

"여기서 뭐하는 거요?"

"살인사건을 수사하는 수사관이오."

"수사관? 신분증 좀 봅시다."

어민이 윗옷을 가리키자 경관은 손을 넣어 뉴욕경찰국이 발행한 수사보조원 신분증을 꺼냈다. 어민의 눈에 신분증의 날짜가 들어왔다. 이미 유효기간이 지나 있었다. 경관은 플래시를 비춰 신분증의 사진과 얼굴을 대조하고는 어민의 수갑을 풀어주었다.

"그런데 여기서 뭘 하는 거죠?"

"뉴욕에서 일어난 살인사건을 수사하는 중이오. 여기 범인이 살인 도구를 숨겼을지 모른다는 심증이 있어 온 거요. 삽 있어요? 시간 되면 같이 파봅시다."

어민이 말과 함께 왔다갔다하며 길가의 가로수들을 걸음으로 재보는 시늉을 하자 경관은 순찰근무 중이라고 손사래를 치며 얼른 차에 올라타고는 가버렸다.

마침내 편지함 옆에 선 어민은 우선 편지함을 뒤져보았으나 역시 아무것도 찾을 수 없었다. 어민은 편지함 기둥 밑에 삽을 대고 힘을 주어 삽날을 땅에 박았다.

"쨍그렁!"

땅은 깊게 팔 필요도 없었다. 삽을 갖다 대자마자 금속성이 느껴짐과 동시에 삽날에 뭔가 부딪치는 소리가 났고 어민은 곧 네모난 깡통 안에 비닐로 싸인 채 담겨 있는 물체를 끄집어냈다. USB였다. 본능적으로 고개를 돌려 좌우를 살핀 어민은 아무도 눈에 띄지 않자 숨을 죽인 채 조심스럽게 자동차에 올라 급히 액셀을 밟았다.

어민은 뉴욕에 도착하자마자 라운트리에게 전화를 걸었다. USB의 내용이 무엇이든 이제부터는 철두철미하게 보호를 받아야만 했다. 누군가 증인이 되어주지 못하는 상황에서는 자칫하면 정보의 습득 과정에서부터 불법으로 몰릴 게 뻔한 일이었다. 더군다나 어젯밤 나타났던 김 변호사와 연락이 닿을 수 있는 유일한 통로 역시 라운트리였다.

"라운트리 변호사님, 물증을 찾아낸 것 같아요."

라운트리는 깜짝 놀라는 기색이었다.

"그렇다면 그 수수께끼를 풀었단 말이오?"

"네."

"저런! 거기에 과연 메시지가 담겨 있었소? 어떻게 풀었소?"

"제가 푼 게 아닙니다. 어젯밤에 김 변호사님이 나타나셨어요, 제가 묵고 있는 호텔에."

"뭐요? 김 변호사가 뉴욕에? 이런 일이! 그런데 그는 어떻게 풀었소?"

"그건 한국어와 영어의 이중 조합이라 한국인이라야만 풀 수 있는 말이었습니다."

어민이 그 원리를 설명하자 라운트리의 탄성이 터져나왔다.

"절묘하군! 그런데 김 변호사는 어디 있소?"

"만나게 될 거라는 말씀을 남기고 사라지셨습니다."

"음, 그런데 그 물증은 뭐였소?"

"녹음 파일입니다."

"녹음? 들었소?"

"아직 듣지는 않았어요. 보스턴에서부터 계속 감시당하는 것 같은 기분이 들어서요. 리처드 김의 부인이 땅속에 숨겨둔

걸 파왔는데 아무래도 같이 듣는 게 나을 것 같아 변호사님께
전화를 걸었어요."

"잘했소. 혼자 들으면 증거 조작으로 몰릴 거요. 지금 어디
있소?"

"공항이에요."

"누구에겐가 이 사실을 말했소?"

"아무에게도 말하지 않았습니다. 만약 태프트라는 이름이
나오면 너무나 위험해 누구와도 같이 들을 수 없습니다. 경찰
이라 하더라도 말이에요."

"음, 곧 내가 전화를 하겠소."

잠시 후 라운트리는 어민에게 전화를 걸어 찾아올 곳을 알
려줬다. 어민은 전화를 끊으며 그가 왜 좋은 사무실을 놔두고
다른 장소에서 만나자고 하는지 이해가 가지 않았지만 택시에
서 내릴 때쯤 대략 짐작할 수 있었다. 그는 만약의 경우를 대비
하고 있는 것이었다. 설혹 무슨 일이 생기더라도 자신의 사무
실이 말썽의 현장으로 오르내리는 걸 경계하는 변호사의 본능
적 방어감각이라는 판단이 들었다.

라운트리가 오라고 한 곳은 뜻밖에도 어느 어두컴컴한 바였
다. 라운트리는 구석의 카운터에 먼저 와 앉아 있다 어민이 나
타나자 손짓을 했다.

"뭘 마시겠소? 나는 버번 한 잔 하겠소."

"같은 걸로 할게요."

어민은 주변을 둘러보았다. 저편 카운터에서 혼자 술을 마시는 사람 정도밖에는 눈에 들어오지 않았고 자그마한 홀은 텅 비어 있는 데다 재즈풍의 음악이 적당한 볼륨으로 흘러나와 무슨 얘기를 해도 주변에 흘러나갈 것 같지 않았다.

술잔을 건네준 바텐더가 저쪽으로 가고 나자 라운트리는 침착하고 나지막한 목소리로 말했다.

"들어봅시다."

어민은 가지고 온 노트북에 USB를 꽂았다.

— 리처드, 결국 이런 사우나에서 보게 되었군.

— 단도직입적으로 묻지. 일본이 오키에 자위대 기지를 만들도록 허용한 건 독도를 넘기겠다는 뜻인가?

— 글쎄 그건 당신들 간의 문제야, 우리가 그 돌섬까지 지켜줘야 할 의무는 없는 거니까.

— 한국은 늘 미국의 우방이었고 지금도 마찬가지야. 하지만 지금 중국과 틀어지면 경제적으로 한국의 미래는 없어. 알지 않는가?

— 미래라? 생각해 보게, 미국과 한국, 일본은 한 배에 탄 처지야. 같이 합심해 중국을 쪼개야 해. 과거 소련을 쪼갰던 것처럼. 그래야 한국도 미래도 있는 거야!

— 그래서 전쟁을 하겠다는 건가?

— 다른 방법이 있다고 믿나?

— 물론, 나는 그 방법을 지난 2010년 마련했지만 당신들이 거부한 거 아닌가?

— 그건 중국에 시간을 벌어주는 것 외에는 아무것도 아니지. 그들도 MD를 설치하고 대륙간탄도탄을 마음대로 쏠 수 있게 된다면 그때는 전쟁을 할 기회도 없어.

— 그게 언제지? 10년? 15년?

— 내 말을 못 알아듣는군. 전쟁은 어느 날 갑자기 터지는 거야. 당장 내일 영변 상공에 그린베레가 낙하할 수도 있고, 센카쿠에서 일본 중국 선박이 충돌할 수도 있다는 이야기야.

— 그렇다면 더욱더 주한미군을 빼지 말아야지. 전방의 미군을 평택으로 빼는 건 유사시 한반도에서 나가겠다는 속셈 아닌가?

— 그건 한국인들에게 달렸어. 당신 말대로 '딜'이란 말이지. 한국이 진정한 우방의 모습을 보이면 미국은 한국인들의 생명과 재산을 보호하기 위해 싸우겠지만, 그게 아니라면 당연한 것 아닌가? 우리는 철수하는 거고 한반도는 핵폭풍 아래 놓이겠지.

— 다시 묻지, 그래서 그게 언제라는 건가?

THAAD

— 바로 지금, 박근혜가 있는 지금.

목소리는 여기까지였다. 침착한 라운트리였지만 이 상상도 할 수 없는 내용 앞에서는 낯빛이 바뀌었다.

"어떻게 이런 게 녹음될 수 있었을까?"

"말하는 걸로 봐서는 사우나 같은데요."

"녹음이나 녹화를 꺼릴 때 잘 쓰는 방법이 같이 사우나를 하는 거요. 벌거벗으면 무엇도 숨길 수 없으니까."

어민의 뇌리에 리처드 김의 허벅지에 찢긴 듯한 자국이 있었다는 잭슨의 말과 워싱턴에서 별것 아닌 타박상으로 며칠 입원했었다는 펑첸의 말이 공명되었다.

"리처드 김은 정말 치밀하게 계획을 세운 거 같아요. 일전에 별것 아닌 타박상을 입었을 때 병원에 며칠 입원했었다고 했거든요. 그때 아마 허벅지에 칩을 넣은 모양입니다."

"아무튼 이 파일은 유력한 증거요. 이거면 충분히 국방장관의 살인 범죄를 입증할 수 있소."

"그러나 여기에는 리처드 김에게 위해를 가한다든지 하는 내용이 하나도 없는데요."

"살해 동기가 나와 있잖소. 리처드 김이 국방장관의 뒤를 추적한 건 증인이 많을 테고, 문제는 국방장관의 살해 동기인데 이거면 충분하오."

잠시 두 사람 사이에는 숙연한 분위기가 감돌았다.

"이걸 어떻게 하지요?"

"지금 당장 모든 언론에 동시 공개해야 하오. 태프트가 전혀 손쓸 수 없도록! 그래야 우리도 안전해요. 어서 나와 같이 프레스클럽으로 갑시다."

그러나 다음 순간 급히 의자에서 몸을 일으키던 라운트리는 갑자기 제자리에 얼어붙은 듯 서버렸다. 한 사나이의 무거운 그림자가 다가섰기 때문이었다.

"유, 윤후!"

동시에 라운트리의 뺨에서 철썩하고 불이 임과 동시에 라운트리는 바닥으로 넘어지고 말았다.

"앗!"

불쑥 나타난 사나이는 바로 김 변호사였다. 그는 천천히 허리를 숙여 USB를 집어들었다.

"넌 한평생 비겁한 짓만 하고 살아가는구나! 이걸 언론에 공개한다고? 야비한 놈 같으니!"

"윤후!"

"이걸 공개하면 너는 또 한 번 영웅이 되겠지. 너의 로펌에는 더 많은 고객이 몰릴 테고. 하지만 너는 어떠한 정의감도 없이 자신의 부와 지위를 유지하는 길만 찾는 놈이야! 그 썩은 삶의 비린내가 아직도 네 몸에서 진동하는구나!"

김 변호사는 한동안 라운트리를 내려다보다 몸을 돌려 문쪽으로 걸어나갔다. 어민은 이 뜻밖의 상황에 놀라 어쩔 줄을 모르고 있다 얼른 몸을 굽혀 라운트리를 일으켰다.

　"라운트리 변호사님!"

　"윤후……."

　"변호사님!"

　"내 잘못이오. 나는 그에게 큰 과오를 저질렀었소."

　라운트리는 입가에 흐르는 피를 닦을 생각도, 바닥에서 몸을 일으킬 생각도 하지 않고 김 변호사가 나가버린 문에서 시선을 떼지 않고 있었다.

　"라운트리 변호사님, 아니 김 변호사님!"

　어민은 라운트리를 일으키려다 그가 팔을 내젓자 김 변호사를 뒤따라 나갔다. 김 변호사는 후진으로 자동차를 빼고 있는 중이었다. 어민은 얼른 다가갔지만 그는 아랑곳하지 않고 차를 빼서는 그대로 달려나갔다.

　어민은 마침 차를 대려고 하는 젊은이에게 100달러짜리 지폐 두 장을 내밀었다.

　"저 차를 따라가줘요."

26

받으면 중국의 적, 안 받으면 미국의 적

김 변호사는 41번 부두 바로 옆에 차를 대고 빈 선착장 끝에서 휴대폰을 귀에 댄 채 대서양을 응시하고 있었다. 차에서 내린 어민은 급히 김 변호사에게로 다가갔다.

"김 변호사님!"

"이 파일은 세상에 공개되어서는 안 된다."

김 변호사는 말과 동시에 손에 꽉 쥐고 있던 USB를 바다에 던져버렸다.

"앗!"

소스라치게 놀란 어민의 눈길이 USB가 그리는 포물선을 좇아갔다. 그러나 USB는 허공에서의 마지막 궤적을 남기고 바닷속으로 첨벙 소리를 내며 빠져들어 갔다. 어민의 뇌리에 무엇보다도 먼저 수전이 떠올랐다.

"김 변호사님! 어떻게 이럴 수가……."

"……."

"아! 그게 있어야 수전이……."

"수전은 바로 풀려나온다!"

어민은 김 변호사가 조금 전 누군가와 통화하던 걸 떠올렸다.

"그러나 변호사님, 그걸 세상에 공개해 전쟁을 막아야 합니다! 전쟁을 막아야 하지 않습니까!"

"한국은 그 전쟁을 해야 한다. 미국과 같이."

김 변호사의 음성에는 거역하기 힘든 무게가 실려 있었다. 특히 어민에게는 김 변호사가 최고의 은인일 뿐만 아니라 미국에 와서의 모든 성공, 심지어는 음성 파일을 얻을 수 있게 해준 장본인이었다. 그러나 어민은 도저히 김 변호사의 말을 이해할 수 없었다. 리처드 김도 수전도 목숨을 걸고 공개하려 했던 음성 파일을 김 변호사만이 공개할 수 없다고 하는 이유를 도저히 짐작할 수 없었다.

"변호사님, 변호사님은 제게 하늘과도 같은 분입니다. 그러나 수많은 사람이 피를 흘리고 목숨을 잃는 전쟁을 해야 하는 이유를 결코 이해할 수 없습니다."

"1조 달러짜리 평택 딜의 의미는 이해했나?"

"어느 만큼은⋯⋯."

"말해보게."

"미군은 한국이 마음에 안 든다 생각되면 전쟁비용 1조 달러를 아끼려 평택항을 통해 한반도 밖으로 빠져나가고 한반도 전쟁을 핵전쟁으로 처리하려 합니다."

"뭘로 판단하지?"

"한국이 진정한 동맹이냐, 아니냐가 기준이 되겠죠. 싸드와도 관계가 있겠고요. 그러나 싸드는 전쟁의 연계선입니다. 또한 중국은 한국부터 공격합니다. 바로 그 싸드를 없애려고 말입니다."

"그게 무서워 약속을 헌신짝처럼 버려야 한다는 건가? 한국은 비겁한 나라야. 용기도 정신도 없어. 지구상에 한국을 위해 1조 달러의 돈과 6만 명의 생명, 30만 명의 부상병을 각오하는 나라가 미국 외에 또 있나? 1조 달러를 한국전쟁에 쏟아부으면 미국은 휘청해. 그런데 한국은 미국과 중국 사이에서 어떻게 이득을 취할까 눈치만 보고 있어. 너희는 희생하라, 우리는 돈이 더 중요하다는 꼴 아닌가?"

"어떻게든 전쟁은 막아야 합니다. 게다가 이것은 정의로운 전쟁도 아닙니다. 미국이 붕괴하지 않으려 중국을 치는 정의롭지 못한 전쟁입니다."

"정의라고? 중국은 망해야 하는 나라다."

"네? 변호사님, 어떻게 그런 말씀을?"

"라운트리와의 이야기를 들려주지. 우리가 동업하던 로펌은 전성기에 한 손님을 맞았어."

김 변호사는 어민이 그토록 궁금해했던 라운트리와의 관계를 꺼냈다.

한 중국인이 모든 사건을 승리로 이끌어내는 뉴욕 최고의 로펌 앞에서 한참을 망설이다 건물 안으로 들어섰다. 그는 10분당 1천 달러라는, 본인으로서는 상상할 수도 없는 거금을 선불로 내고 이 로펌의 최고 변호사 중 한 사람인 라운트리를 만났다.

"많은 사람들이 1달러씩 모아 주었습니다."

중국에서 온 가난한 의뢰인이 내놓은 건 몇백 장의 사진이었다. 도저히 인간의 사진으로 볼 수 없는 참혹한 사진들은 중국의 장기 적출 현실을 증언하는 것들이었다. 마침 일이 있어 라운트리의 방에 쑥 들어온 동업자 김윤후 변호사의 눈길도 사진에 가서 멎었다.

"형무소 죄수들은 물론 경범죄로 잠시 유치된 사람들까지 안 죽을 만큼 패 실신시키고는 내장이나 눈을 파냅니다. 사형수도 오조준해서 쏜 다음 내장을 파내 죽입니다. 이 내장들은 권력층이나 부유층에게로 흘러들어가는 거죠. 우리 천안문 봉기 가담자 가족과 파룬궁 신도들은 집중적 표적입니다. 제발 살려주십시오."

라운트리는 사건을 맡지 않았다. 의뢰인은 사정하며 매달렸지만 정확히 10분이 되자 라운트리는 사람을 불러 그를 내보내도록 했다. 닫힌 문 앞에 주저앉은 그에게 손을 내민 것은 김 변호사였다. 김 변호사는 자신의 방에 의뢰인을 앉혀놓고 오랜 시간의 침묵 끝에 입을 열었다.

"중국은 나라가 아니다."

김 변호사는 중국을 지구상에서 없어져야 할 거악으로 규정하고 미국을 떠도는 중국의 반체제 인사들을 보살피고 지원했다. 이들은 일거에 중국으로 몰래 들어가 제2의 천안문사태를 일으키려 한다는 계획을 김 변호사에게 털어놓았고, 그는 평생 번 돈을 모두 들여 이들의 신분을 세탁한 뒤 입국할 방도를 마련해 주었다. 그러나 이 계획은 밀고에 의해 발각되어 무산되었으며 밀고자는 천만뜻밖에도 누구보다도 가까운 동업자였던 라운트리였다. 김 변호사가 더 큰 불법행위에 연루되기 전에, 로펌이 이와 연관되어 몰락하기 전에 계획을 중단시켜야만 했다고 그는 강변했다. 실제로 그는 최선을 다해 김 변호사의 형사처리를 막아냈지만, 김 변호사는 떠나고 말았다.

"나는 미진이를 업고 한국으로 돌아가며 보람을 느꼈다. 꺼질 수밖에 없는 한 생명을 내가 살렸다는 사실에 희열까지 느껐지. 미진이는 장기를 빼앗기고 죽은 한 천안문 봉기자의 딸이야. 아버지는 천안문 현장에서 맞아죽고 어머니는 쓰촨성의 한 형무소에서 장기를 적출당해 죽었어. 그냥 두었으면 미진이도 죽었겠지."

"홍변 말씀입니까?"

"그래. 어릴 때부터 데리고 있었어. 중국이 버린 아이지만 이제는 어엿한 한국의 변호사야."

"아, 변호사님! 그래도 전쟁만은 안 됩니다. 중국은 바뀌고 있고 미국도 전쟁 아닌 다른 길을 찾을 수 있을 겁니다."

김 변호사는 아무 대답 없이 대서양 저편을 향해 무심한 눈길만 던지고 있을 뿐이었다.

27

뫼비우스의 띠

한국으로 돌아온 어민은 예전과 같이 사무실로 나갔다. 며칠 후 어민은 여느 때처럼 열심히 바닥을 닦고 책상을 훔친 다음 김 변호사가 늘 앉던 소파의 탁자에 하얀 봉투를 하나 올려놓았다. 어민이 며칠간 잠못 이루며 공들여 쓴 편지였다. 이런 어민을 말없이 지켜보던 미진이 다급한 시선으로 어민의 뒷모습을 좇으며 봉투를 집어들었다.

사직서였다.

사무실을 나온 어민은 지하철을 타고 광화문으로 나가 세종대왕 좌상 앞에 섰다. 머리도 헝클어지고 반쯤 넋이 나간 듯이 보이는 어민의 모습에 지나치는 사람들은 저마다 거리를 두는 기색이었고, 젊은 여성들이나 어린아이를 데리고 가는 주부는 아예 멀찌감치 물러섰다.

"여러분!"

어민은 배에 잔뜩 힘을 넣었으나 마치 온 인생을 잃어 삶의 희망이란 손톱만치도 없는 사람처럼 목소리에는 기운이 빠져 있었다. 자꾸 새어나가려는 목소리를 힘겹게 모은 어민은 다시 한 번 고함을 질렀다.

"대한민국 국민 여러분!"

그러나 목소리는 이미 육십대를 지난 노인의 것에 다름 아니었다. 그래도 어민의 필사적인 표정을 본 사람들이 조금씩 곁에 몰려들었다. 세종대왕 좌상 앞에서는 심심찮게 재미있는 일인 퍼포먼스도 벌어지곤 했기에 일단 누구라도 그 자리에 서면 몰려드는 사람들이 있게 마련이었다.

"나는 그 음성 파일을 들었습니다!"

사람들은 무슨 소린가 싶어 멀뚱거리며 서로 얼굴을 마주 보았다. 음성 파일을 들었다니, 무슨 음성 파일을 들었다는 거지? 정상적인 사람이 아니라는 생각을 하는지 몇몇 젊은이들은 키득거리며 손가락질을 하고, 몇몇 노인은 딱하다는 표정을 지으면서도 사람들은 무슨 얘기를 하려나 싶어 자리를 뜨지는 않고 있었다.

"싸드를 조심해야 합니다!"

사람들은 갑자기 싸드가 무슨 얘긴가 싶어 의아해하며 바라보았다.

"싸드는 전쟁입니다."

어민의 목소리는 최고조에 달했다. 자신을 이상한 사람 취급하듯이 손가락질하는 사람들과 무심하게 지나치는 사람들이 어지럽게 교차하는 중에 어민의 의식에는 그동안 있었던 일들이 주마등처럼 떠올랐다. 처음 리처드 김을 인천공항에서 만날 때부터 시작하여 달러 연구를 좇고 태프트의 정체를 좇고 급기야 한반도에 드리워진 전쟁의 그림자를 좇을 때까지의 과정이 파노라마처럼 그의 눈앞에 스쳐 지나갔다. 리처드 김, 세계은행의 사람들, 잭슨 형사, 라운트리 변호사, 수전에 이르기까지 만났던 모든 사람들의 표정과 말, 동작 하나하나까지 떠올랐다가는 사라졌다.

"미국과 싸워야 합니다!"

이 말에 사람들은 고개를 저으며 못마땅한 표정을 짓거나 웃음을 터뜨리며 이내 자리를 떴다. 젊은이들 가운데 더러는 손가락질을 하고 또 손가락을 세워 이마에 대고 뱅뱅 돌리며 이를 드러내고 웃는 사람도 있었다. 그러나 어민은 아랑곳하지 않고 다시 목소리에 힘을 넣었다.

사람들이 모여들었다 흩어지고 모여들었다가는 또 흩어졌다. 어민의 다 쉬어버린 목소리가 애처로웠는지 아니면 어민이 고함치는 이유를 좀 더 알고 싶었는지 한 남자가 어민에게 다가와 허리를 조금 굽혔다.

"싸드를 막을 수 있게 대통령을 도와줘야 한다고요. 흐흐흐흑!"

"대통령이 안 받으면 그만이잖아요."

"저들은 이 금수강산을 핵전쟁으로 뭉갠다고 협박하고 있어요. 미군의 평택 이전은 바로 그런 의미예요."

"핵전쟁으로 뭉갠다고요? 북한이 남한을? 그래서 대통령을 도와야 한다고요? 무슨 소리를 하는 건지……."

관심을 보이던 유일한 그 남자조차도 이해할 수 없다는 표정으로 어민을 떠나갔고 모든 사람이 그렇게 무관심하게, 아니면 킥킥거리다, 또는 약간의 관심을 보이다 이내 고개를 가로저으며 어민을 떠나갔다.

"대한민국 국민 여러분!"

어민의 목소리는 급기야 갈라질 대로 갈라져 더 이상 공기를 차고 올라가지 못하고 길바닥에 낮게 깔릴 뿐이었다.

"싸드를……."

그나마 깔리던 목소리가 이제 더 이상 목구멍을 건너지 못하고 입안에서만 맴돌다 흔적조차 남기지 못하고 사라질 무렵, 어민의 어깨 옆으로 네모진 피켓 하나가 서서히 떠올랐다.

최어민을 지지합니다!

피켓을 든 손을 따라간 눈길의 끝에는 사무실에서부터 조심스레 뒤를 밟아온 한 여자가 안타까운 시선을 머금은 채 어민을 바라보고만 있었다.
미진이었다.

〈끝〉

THAAD